이 책을 소개합니다

1. 이 책에는 자립해서 살 때 알아두면 좋을 내용이
   들어 있습니다.

2. 실제 자립해 살아가는 4명의 이야기를 담았습니다.

3. 4명이 사는 모습은 각각 다릅니다.
   혼자 사는 사람도 있고, 가족과 함께 사는 사람도
   있으며, 자립생활주택에서 사는 사람도 있습니다.

4. 책을 읽다보면
   - 다른 사람들은 어떻게 살고 있는지 알 수 있습니다.
   - 나는 어떻게 살고 싶은지 생각해 볼 수 있습니다.
   - 나도 자립할 수 있겠다는 자신감을 얻을 수 있습니다.

5. 사진과 그림을 함께 실어 정보가 쉽고 생생합니다.

6. 나의 자립을 도와주는 사람과 함께 봐도 좋습니다.

발달장애인 인터뷰북 01
발달장애인의 자립생활을 돕는 쉬운 살림책

서툴지만 혼자 살아보겠습니다

소소한소통 지음

소소한소통

> 주인공 소개

청소 잘하는 깔끔남
김성원 (39세)

혼자 산 지 1년.
제일 좋은 점은 내 맘대로 할 수 있다는 것이다.
물론 고충도 있다. 깔끔한 성격이라 집에 들어오면 청소부터
하는데 피곤한 날에도 몸이 자동으로 움직이는 것.
살림 요령은 시설에 있을 때 배웠다.
지금 혼자서도 잘 살 수 있는 비결은
어릴 때부터 살림을 빡세게 배운 덕이라고 여긴다.
자립할 사람들에게 해주고 싶은 말로
주저 없이 세 가지를 꼽는다.
첫째, 게으르지 않고 열심히 살겠다고 다짐해라.
둘째, 자립하기 위해 필요한 것들을 배워라.
셋째, 잘 살아라. 부디 건강하게 살아라.
이 책에서는 주로 '정리'와 '빨래'를 담당했다.

Q. 하루 일과를 간단하게 소개한다면?

A. 7시 30분 일어나기 - 매트리스 접고, 이불 개기 - 빨래하기 - 출근 - 10시부터 7시 30분까지 일하기 - 퇴근 - 청소하기 - 책 읽기, TV 보기, 음악 듣기, 운동하기 - 11시 30분쯤 잠자기

Q. 오! 어떤 책을 주로 읽나?

A. <365일 긍정의 한 줄> 같은 책. 글이 길지 않아 읽기에 부담없다. 읽으면 생각도 좋게 바뀐다.

Q. 자립할 사람들에게 "건강하게 살아라"라고 했는데, 본인은 어떤 노력을 하시는지.

A. 스트레칭을 한다. 몸이 엄청 뻣뻣하다(웃음). 그리고 많이 아플 것 같으면 병원도 미리미리 간다. 특히 치과 같은 데.

Q. 혼자 살기 시작한 지 1년 정도 됐다. 처음보다 더 나아진 점은?

A. 처음엔 돈 쓰는 게 신나서 막 썼다. 충동구매 할 때 느끼는 쾌감 같은 게 있었다. 통장 잔액 보며 후회했다. 이젠 절제를 잘하고 있다.

Q. 멋지다. 더 나은 삶을 위해 배우고 싶은 게 있다면?

A. 사람들과 말하고 소통하는 법을 배워보고 싶다. 직장을 다녀보니 남의 말을 이해하는 것보다 내 생각을 표현하는 게 더 어렵다. 소통이 잘 되면 더 좋을 것 같다.

> 주인공 소개

자기를 사랑할 줄 아는 여자
남수진 (32세)

기름때 낀 가스레인지 청소도, 물걸레질도, 운동화 빨기도
척척 해내는 야무진 살림꾼.
살림만이 아니다.
자기관리도 잘한다.
매일 저녁 수영으로 몸을 단련하고 제때 잘 자야 건강하다고
믿기에 10시면 칼같이 잠자리에 든다.
요양원에서 일하는데, 사근사근하고 일 잘한다는 칭찬도
많이 듣는다.
고기를 좋아해서 밥 먹을 때마다 고기 반찬을 빼놓지 않는다.
고기만큼 좋아하는 것은 핑크핑크. 선물받은 분홍색 가방을 메면
기분이 한껏 좋아지는 핑크 마니아다.
이 책에서는 주로 '옷 입기'와 '빨래'를 담당했다.

Q. 하루 일과를 간단하게 소개한다면?

A. 7시 일어나기 - 이불 개기 - 화장실 다녀와서 몸무게 재기 - 출근 - 9시부터 3시까지 일하기 - 퇴근 - 5시 저녁식사 - 청소 - 수영 - 휴대폰 보기 등 - 10시 잠자기

Q. 어떻게 자립할 결심을 했는지.

A. 처음에는 무서웠다. 그런데 시설 선생님이 잘할 수 있다고 말해줬고, 도와줘서 용기를 냈다. 여기 자립생활주택에 오기 전에 체험홈에서 먼저 살아봤다.

Q. 자립해서 제일 좋은 점은?

A. 맘대로 할 수 있다는 것. 시설은 지켜야 할 게 많아서 많이 답답했다.

Q. 지원받는 서비스가 있는지.

A. 활동보조 선생님이 매일 3시에 오신다. 식사와 청소를 도와주신다.

Q. 셋이서 같이 살고 있는데 생활비를 같이 내나?

A. 1달에 15만 원씩 낸다. 매월 1일에. 이 돈으로 선생님들이 필요한 것들을 산다. 음식 재료나 샴푸, 린스 같은 것. 남은 돈은 모아놨다가 필요한 가전제품 같은 걸 산다. 아파트 관리비는 센터에서 내준다.

Q. 집에서 제일 좋아하는 물건은?

A. 최근에 산 옷장과 서랍장

주인공 소개

요리 잘하는 남자
문석영 (28세)

딸기향과 음식 만드는 것을 사랑한다.
시설을 떠나 장애인자립생활주택에 들어온 지 2년 남짓.
자립한 후로 가장 달라진 점은 피규어를 내 방에 모을 수 있게 된 것이다. 갖고 싶은 피규어를 적어두었다가
생일이나 성탄절 선물로 득템하는 재미가 쏠쏠하다.
배운 대로 행하는 성실함을 지녔다.
살림하는 게 별로 어렵지 않은 것도 선생님한테 배운 대로 하나하나 실천해온 덕이라고.
지금은 2명과 함께 자립생활주택에서 살지만 머지않아 혼자 살 계획을 갖고 있다. 사람들을 초대해 맛있는 거 해 먹을 날을 손꼽으며 에어 프라이어 살 돈을 조금씩 모으고 있다.
이 책에서는 주로 '먹기'와 '청소'를 담당했다.
영양만점 된장찌개, 뚝딱 계란찜 레시피도 공개한다.

Q. 하루 일과를 간단하게 소개한다면?

A. 7시 10분 일어나기 - 출근 - 9시부터 12시 30분까지 일하기 - 퇴근 - 5시 저녁식사 - 헬스 - TV나 만화 영상 보기 - 12시쯤 잠자기(주말에는 새벽 1~2시)

Q. 어떻게 자립할 마음을 먹었는지. 제일 걱정했던 점은?

A. 다른 사람이 자립해 사는 거 보니까 나도 하고 싶었다. 함께 사는 사람들과 친해질 수 있을까? 이게 제일 걱정이었다. 처음엔 좀 어려웠지만 몇 개월 지나니 잘 지낼 수 있었다.

Q. 내 삶을 더 좋게 하기 위해 특별히 노력하는 게 있다면?

A. 분위기 좋게 하는 걸 좋아한다. 크리스마스 때라면 트리를 꾸미고 장식한 전구를 켜고 잔다. 그러면 기분이 좋아진다.

Q. 나중에 자립할 사람들에게 해줄 말이 있을 것 같다.

A. 자립하면 하고 싶은 거 왕창 할 수 있으니 잘 견뎌라. 파이팅!! 지금은 살고 있는 곳에서 잘 배우고 규칙을 잘 지켜라.

Q. 자립할 사람들을 위해 주변에서 뭘 해줘야 할까?

A. 자립할 준비를 충분히 시켜주면 좋겠다. 도와주는 사람이 항상 옆에 있는 게 아니니까. 나는 중학교 때부터 수저 놓기, 반찬 놓기, 설거지하기를 배웠다. 하고 싶은 요리가 많았지만, 천천히 차근차근 배우는 게 필요한 거 같다.

| 주인공 소개 |

자유로운 영혼
허은숙 (42세)

"내가 하고 싶을 때!"
웬만한 물음은 이 대답 하나로 끝낸다.
이불은 1달에 1번 빨아야 하며, 화장실 청소는 1주일에 1번 해야 한다는 규칙을 갖고 있지 않다.
살림을 나 혼자 해내야 한다는 강박도 갖고 있지 않다.
반찬 지원이나 가사일 지원 같은 것을 적절히 활용한다.
센터에서 정리정돈 일을 하는데
그 일을 아주 잘한다고 칭찬이 자자하다.
물고기 밥 주는 일을 제일 좋아하며
여윳돈이 생기면 장난감을 사고 과자로 스트레스를 푸는,
아이 같은 천진함을 지녔다.
이 책에서는 주로 '정리'를 담당했다.

Q. 하루 일과를 간단하게 소개한다면?

A. 7시 일어나기 - 출근 - 9시부터 1시까지 일하기 - 퇴근 -
TV 보거나 짧게 자기 - 저녁식사 - 12시쯤 잠자기

Q. 지원받는 서비스가 있으신지.

A. 내가 일하는 센터에 "나눔은 히트다"라는 프로그램이 있다.
거기에서 반찬을 준다. 1주일에 1번 반찬 만드는 프로그램에도
나간다.

Q. 살림을 해보니까 어떤 게 제일 힘들던가?

A. 사실 손에 습진이 있어서 집안일은 오빠(함께 사는 남친) 찬스를
자주 쓴다. 뜨개질 같은 것도 하고 싶은데 한쪽 손이 조금
불편해서….

Q. 돈을 잘 쓰고, 잘 모으는 편인가?

A. 월급 타면 카드 값으로 거의 나간다. 돈을 갖고 있으면 자꾸
쓰게 된다. 가습기나 장난감 같은 거. 이제 슬슬 모아야지.

Q. '이런 걸 지원받고 싶다' 하는 게 있는지.

A. 집에서 반찬 만들 때 누가 와서 도와주면 좋겠다. 나는 간을
맞추는 게 어렵다. 특히 나물 무침이나 꼬막 반찬이 어렵다.
반찬 만드는 프로그램에 참여하는 것으론 부족하다.

Q. 제일 아끼는 물건은?

A. 100원짜리, 500원짜리 모아놓은 저금통

목차

주인공 소개

1장
먹기

- 재료를 사요　16
- 밥을 지어요　17
- 음식을 만들어요　18
- 먹은 자리를 치워요　24
- 설거지를 해요　25
- 남은 재료를 보관해요　26
- 음식물쓰레기를 버려요　27

　우리는 이렇게 해요 - 4인 인터뷰　28

2장
입기/빨래하기

- 세탁기로 빨아요　34
- 빨래를 말려요　35
- 빨래를 개요　36
- 옷을 다려요　40
- 세탁소에 맡겨요　42
- 이불을 빨아요　43
- 운동화를 빨아요　44
- 옷에 묻은 얼룩을 지워요　45

　우리는 이렇게 해요 - 4인 인터뷰　46

3장
씻기

- 손을 자주 씻어요　52
- 이를 잘 닦아요　54
- 샤워를 해요　55
- 머리를 감아요　56

　우리는 이렇게 해요 - 4인 인터뷰　58

4장
정리하기

- 물건이 있어야 할 곳을 정해요   62
- 물건은 그 물건을 쓰는 장소에 두어요   63
- 주방은 이렇게 정리해요   64
- 옷장이나 행거는 이렇게 정리해요   66
- 서랍장은 이렇게 정리해요   67
- 계절 옷은 이렇게 정리해요   68
- 안 입는 옷은 이렇게 정리해요   69

   우리는 이렇게 해요 - 4인 인터뷰   70

5장
청소하기

- 방을 청소해요   74
- 화장실을 청소해요   75
- 주방을 청소해요   76
- 냉장고를 청소해요   78
- 베란다를 청소해요   80
- 쓰레기를 버려요   81

   우리는 이렇게 해요 - 4인 인터뷰   82

6장
안전하게 살기

- 꼭 필요한 약은 사놔요　88
- 급할 때 쓸 물건들을 잘 갖춰요　89
- 집을 나가기 전에 한번 살펴봐요　90
- 택배 상자는 종이를 떼고 버려요　91
- 문을 열어주기 전에 누구인지 확인해요　92
- 도움 청하는 방법을 알아둬요　93

　우리는 이렇게 해요 - 4인 인터뷰　96

7장
재미있게 지내기

- 스트레스를 풀어요　100
- 운동을 해요　102
- 기분 좋게 살 방법을 찾아요　103

　우리는 이렇게 해요 - 4인 인터뷰　104

이 책을 만드는 데 도움 주신 분들

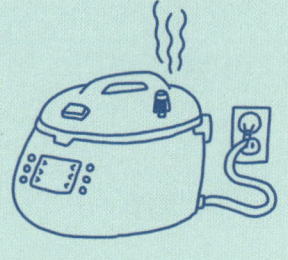

1장 먹기

먹는 건 정말 중요해요.
잘 먹어야 건강하게 살 수 있으니까요.
직접 해 먹는 게 어렵다면 반찬 지원 서비스를 받거나
활동지원사에게 도움을 청할 수 있어요.

재료를 사요

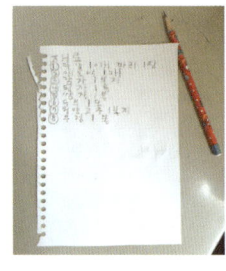 

1. 재료를 사러 가기 전에 집에 뭐가 있고, 뭐가 없는지 확인합니다.

2. 무엇을 살지 미리 적어 갑니다.

3. 한꺼번에 너무 많은 양을 사지 않습니다.
   특히 야채는 며칠 안에
   먹을 만큼만 삽니다.

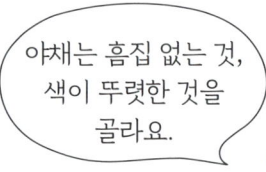
야채는 흠집 없는 것,
색이 뚜렷한 것을
골라요.

햇반, 3분 카레 같은 걸 사두면 밥하기 힘들 때 간편하게 먹을 수 있습니다.

밥을 지어요

1. 쌀 컵으로 쌀을 품니다.

2. 쌀을 4~5번 씻습니다.

3. 손가락이 잠길 만큼 물을 넣습니다.

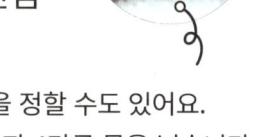

   밥솥의 숫자로 물 양을 정할 수도 있어요.
   쌀을 4컵 넣었으면 숫자 4만큼 물을 넣습니다.

4. 솥을 전기밥솥에 넣고 취사 버튼을 누릅니다.

음식을 만들어요

음식을 만들기 전에 기억할 게 있어요!

- 좋아하는 것만 하지 말고
  여러 가지를 골고루 먹을 수 있게 만들기
- 너무 맵거나 짜게 하지 않기
- 음식을 만들기 전에 손을 깨끗이 씻기

그럼 이제 한국인의 냉장고에서 빠지지 않는 재료들로 찌개 1개, 반찬 1개를 만들어볼게요.
순서에 따라 차근차근 만들어보세요.

김치만 더하면 훌륭한 한 끼!

쉽고 맛있게 만드는 방법을 알려줄게!

영양만점 된장찌개

재료 우렁이 2팩(없어도 괜찮음), 감자 5개, 호박 반 개, 청양고추 3개, 양파 2개, 두부 1팩, 된장 반 국자, 쌈장 조금

1. 우렁이를 조물조물 씻습니다.
   중간에 소금을 조금 넣고
   조물거린 후 헹굽니다.

2. 체에 밭쳐 물기를 뺍니다.

3. 감자칼로 감자의 껍질을 벗깁니다.

4. 감자를 씻어서 썹니다.

5. 큰 냄비에 물을 반 정도 넣고
   감자를 넣어 끓입니다.

6. 감자가 익는 동안
   호박을 씻고, 자릅니다.

7. 청양고추는 꼭지를 떼고 씻은 후
   썰어줍니다.

8. 양파는 껍질을 벗기고 씻습니다.
   큼직하게 썹니다.

9. 국자로 국물 위에 떠 있는 거품을 떠냅니다.

10. 된장을 반 국자 풀어줍니다.

11. 쌈장은 된장의 반만큼만 풉니다.

12. 끓으면 맛을 봅니다. 싱거우면 된장을 더 풀거나 소금을 조금 넣습니다.
 (갑자기 짜질 수도 있으니 조금씩~)

13. 우렁이를 넣습니다.

14. 호박과 양파도 넣습니다.

15. 재료가 익는 동안
    두부를 씻고 자릅니다.

16. 호박이 투명해지면

17. 두부를 넣습니다.

18. 청양고추도
    넣습니다.

찌개는 만들어 놔두면
더 맛있어지니까
저는 많이 만들어요.

19. 1번 더 끓이면 끝!

뚝딱 계란찜

재료   계란 5개, 양파 1개,
       소금 반 숟가락, 물 3숟가락

1. 양파를 다집니다.

2. 그릇에 양파를 넣고,
   계란과 소금을 넣습니다.

3. 물 3숟가락을 넣어 섞습니다.

4. 전자레인지에 넣어 3분간 돌립니다.
   그릇을 꺼내 숟가락으로 저어주고
   다시 2분간 돌립니다.

5. 잘 익었는지 확인하고 덜 익었으면 1분 더 돌려줍니다.

먹은 자리를 치워요

밥을 먹은 다음에는 바로 뒷정리를 해요.
그냥 놔두면 냄새가 나고 벌레가 꼬일 수 있어요.

1. 씻을 그릇을 싱크대로 옮깁니다.

2. 그릇에 남아 있는 음식물을 버립니다.

3. 식탁이나 바닥에 흘린 음식물을 치웁니다.

4. 행주로 식탁을 닦습니다.

설거지를 해요

1. 가위나 칼은 위험하니까 설거지통에 담가두지 말고 쓴 다음에 바로 씻어 치웁니다.

2. 기름기가 없는 그릇부터 수세미로 닦고 헹굽니다.

3. 기름기가 있는 그릇은
   - 먼저 휴지로 기름기를 닦습니다.
   - 따뜻한 물에 세제를 푼 다음, 수세미에 묻혀서 닦습니다.
   - 따뜻한 물로 깨끗이 헹굽니다.

4. 솥에 밥풀이 붙어 있으면 물에 담가서 불렸다가 닦습니다.

5. 가스레인지에 기름이 튀었으면
   - 수세미에 세제를 묻혀서 닦습니다.
   - 젖은 행주로 여러 번 닦아냅니다.
   - 마지막에 마른행주로 닦습니다.

6. 행주는 깨끗이 빨아서 말립니다.

남은 재료를 보관해요

남은 재료는 투명 비닐에!

남은 재료는 투명한 반찬통이나 봉투에 담아 보관해요.
검은색 비닐봉투는 사용하지 않기로 해요.
검은색 봉투에 넣으면 뭐가 들어 있는지 몰라서
못 먹고 버릴 때가 많아요.

재료별 보관법

두부 - 남은 두부는 통에 넣고
　　　물을 부어 뚜껑 닫아 보관

식빵 - 냉동 보관. 먹을 때 전자레인지로 데워 먹기

참치 통조림 - 먹고 남은 참치는 뚜껑 있는 그릇에 옮겨
　　　　　　냉장 보관(캔에 그대로 놔두면 상하기 쉬움)

음식물쓰레기를 버려요

음식물쓰레기를 버리는 요일과 방법이
동네마다 다릅니다.
내가 사는 동네는 무슨 요일에,
어떻게 버려야 하는지 알아둡니다.

음식물쓰레기가 아닌 것

달걀 껍데기, 호두 껍데기, 양파 껍질, 마늘 껍질,
파 뿌리, 과일 씨(복숭아, 감의 씨같이 크고 딱딱한 씨),
소·닭·돼지의 뼈와 털, 생선 뼈, 조개·게 껍데기 등

"우리는 이렇게 해요"
4인 인터뷰

김성원
(1인 거주)

밥을 집에서 해먹나 평일엔 아침, 점심, 저녁을 다 회사에서 먹는다.

주말은? 해 먹기도 하고, 외식도 하고. '3분 카레' 같은 것도 이용한다. 편해서.

재료는 어디서 사나 재료는 마트에서, 간편하게 먹을 수 있는 음식은 편의점에서 산다.

쌀은 어디다 보관하는지 싱크대 아래에 봉지째 보관한다. 3끼를 다 회사에서 먹기 때문에 2kg짜리를 산다.

집에서 해 먹을 때 제일 귀찮은 건? 밥솥 닦는 거. 밥풀이 들러붙어 잘 안 닦인다.

음식물쓰레기는 어떻게 버리나 음식물쓰레기 봉투에 넣어 냉동실에 얼린다. 봉지가 다 차면 1층에 있는 공동 쓰레기통에 버린다.

 남수진
(장애인자립생활주택 거주)

밥을 잘 챙겨 먹나 그렇다. 아침은 혼자 먹고, 점심은 직장에서 먹고, 저녁은 함께 사는 사람들과 같이 먹는다.

좋아하는 반찬은? 고기! 오이와 무생채도 즐겨 먹는다.

직접 만드나 활동지원사 선생님들이 주로 해주신다. 칼질을 좀 무서워해서. 감자 깎을 때도 칼 대신 감자칼을 쓴다.

고기는 기름져서 설거지가 어려울 텐데? 세제와 뜨거운 물만 있으면 끝! 가스레인지도 수세미에 세제 묻혀서 닦고, 마지막에 행주로 닦으면 끝난다.

오, 설거지를 잘하나 보다 잘한다. 가위나 칼부터 씻어 집어넣는다. 위험하니까. 그릇은 큰 것부터 씻는다. 밥풀 묻은 솥은 물에 담가놨다가 씻는다.

외식은? 같이 사는 사람들과 가끔 한다. 주로 고기나 회를 먹는데 돈을 같이 내기도 하고, 한 사람이 쏘기도 한다.

음식물쓰레기는 어떻게 버리나 집마다 통이 있다. 음식물쓰레기 봉투에 담아서 통에 넣어놨다가 다 차면 1층 공동 쓰레기통에 가져다버린다.

문석영
(장애인자립생활주택 거주)

좋아하는 반찬은? 청국장, 감자탕 같은 찌개류와 계란 반찬을 주로 먹는다.

직접 하나 그렇다. 요리를 좋아한다.

요리책이 꽤 많다 요리할 때 책과 유튜브의 도움을 많이 받는다.

재료는 어디서 사나 동네 마트나 식자재 마트에 가서 몇 번 먹을 걸 한꺼번에 산다. 단, 야채는 많이 사지 않는다.

집에서 밥은 혼자 먹나 평일 저녁엔 거의 그렇다. 아침은 선식을 먹기도 하고, 점심은 직장에서 먹고, 주말엔 밖에서 먹을 때가 많다.

남은 재료는 어떻게 하나 야채가 남으면 다른 반찬을 한다.

예를 들면? 된장찌개를 끓이고 나서 재료가 남으면 동그랑땡을 만든다. 두부는 으깨고 야채는 다진다. 계란을 넣고 잘 섞으면 된다. 호박으로 호박전을 만들기도 한다.

귀찮을 때도 있을 거 같다 그럴 땐 집 앞에 있는 썬더치킨을 사 먹는다. 가끔 부모님이 보내주시는 밑반찬도 있고.

자립할 친구들에게 해주고 싶은 말은? 건강하게 먹자! 라면을 먹는다고 치면, 면을 1번 따로 삶아 기름기를 덜어내자. 양파나 애호박 등 채소를 많이 넣어 먹어도 좋다.

허은숙
(남자친구와 거주)

음식 재료는 주로 어디서 사나 주로 시장에서. 마트는 사고 싶은 게 너무 많아서 잘 안 간다.

자주 해 먹는 음식은? 김치찌개와 된장찌개

반찬은 누가 하나 센터에서 1달에 1번 반찬을 준다. 찌개 같은 건 집에서 하기도 하고.

남은 재료는 어떻게 하나 거의 남기지 않는다. 다 해서 다 먹는다. 조금 남은 건 버린다. 날파리가 생기니까.

외식은 잘 하는 편인가 종종 한다. 닭볶음탕을 자주 먹는다. 1번에 2~3만 원 정도 쓴다.

음식물쓰레기는 어떻게 버리나 음식물쓰레기 봉투에 넣었다가 공동 쓰레기통에 갖다버린다.

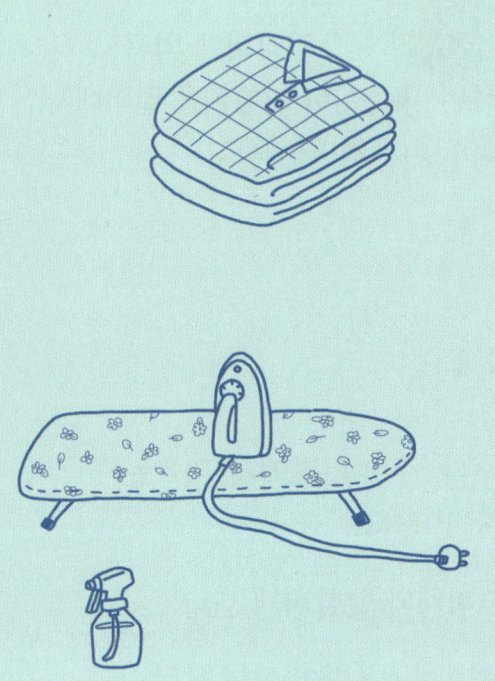
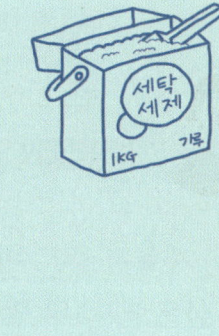

2장 입기/빨래하기

옷은 땀과 먼지 때문에 쉽게 더러워집니다.
더러운 옷을 빨지 않고 계속 입으면
냄새가 나고, 빨아도 깨끗해지지 않아요.
옷은 자주 갈아입고 빨아야 합니다.
특히 속옷은 매일 갈아입습니다.

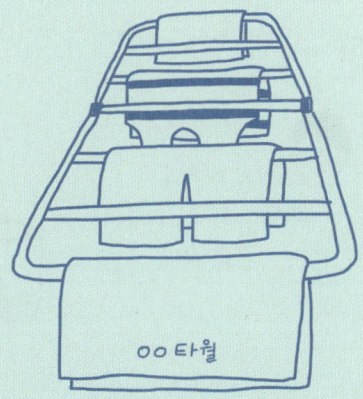

세탁기로 빨아요

1. 세탁기에 빨래를 넣습니다.

2. 세제를 세제 칸에 넣습니다.

3. 세탁기의 전원을 켭니다.

4. 코스를 선택합니다.

5. 물 높이를 맞추고, 시작 버튼을 누릅니다.

> 수건은 따로 빨아요.
> 같이 빨면 보풀 나니까.

정전기 방지를 위해 섬유유연제를 쓰기도 합니다.
빨래망에 넣어 빨면 옷이 상하는 걸 막을 수 있습니다.

> 섬유유연제는
> 뚜껑의 3분의 1 정도
> 넣습니다.

빨래를 말려요

세탁이 끝나면 바로 꺼내서 말립니다.
그래야 냄새가 나지 않아요.
해가 잘 들지 않으면 빨래가 잘 마르지 않지요.
비가 많이 오는 여름철에도 잘 마르지 않아요.

빨래를 빨리 말리고 싶으면

- 옷을 띄엄띄엄 넙니다.

- 빨래 쪽으로 선풍기를 틉니다.

- 건조대 아래에 신문지를 몇 장 깔아도 좋습니다.

- 마른 수건으로 빨래를 싸서 꾹꾹 누른 다음에 널면 좀 더 빨리 마릅니다.

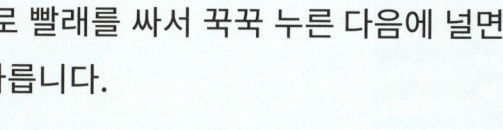

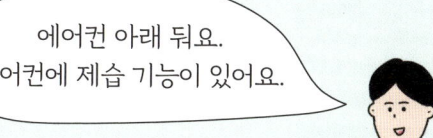

에어컨 아래 둬요.
에어컨에 제습 기능이 있어요.

빨래를 개요

빨래가 말랐으면 개야 해요. 귀찮다고 건조대에 계속 널어두면 집이 정리가 안 되고 옷에도 먼지가 묻어요.

티셔츠 예쁘게 개는 법을 알려줄게!

1. 티셔츠의 뒷면이 위로 오게 놓은 다음 한쪽 팔 부분을 사진과 같이 접습니다.

2. 다른 쪽 팔 부분도 같은 방법으로 접어줍니다.

3. 접은 부분이 구겨지지 않게 잘 만져줍니다.

4. 사진과 같이 아래쪽을 1번 접습니다.

5. 1번 더 접어줍니다.

6. 앞면이 보이게 티셔츠를 돌립니다.

7. 잘 펴주면 완성!

 청바지 예쁘게 개는 법을 알려줄게!

1. 청바지의 다리끼리 겹치도록 접습니다.

2. 허리 부분과 바지 끝부분이 만나도록 반을 접습니다.

3. 허리 부분을 사진과 같이 접습니다.

4. 허리 부분을 벌려 다리 쪽을 집어넣습니다.

5. 옷이 구겨지지 않게 잘 펴줍니다.

6. 갠 청바지를 위에서 꾸욱 눌러주면 완성!

예쁘게 갠 청바지를 이렇게 차곡차곡 정리했어요!

옷을 다려요

구김이 많이 가는 옷은 다려서 입어요.
옷감에 따라 다리는 온도가 다릅니다.
다리미가 뜨거우니 데지 않도록 조심합니다.

셔츠 다리는 법을 알려줄게!

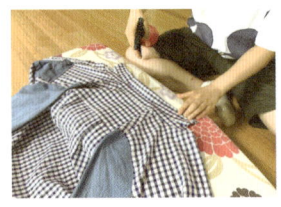

1. 깃을 잘 펴고 분무기로 물을 뿌립니다.

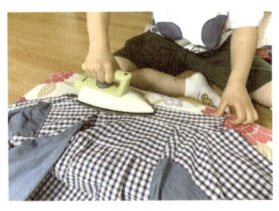

2. 한 손은 깃의 끝을 잡고, 한 손은 다리미로 깃을 다립니다.

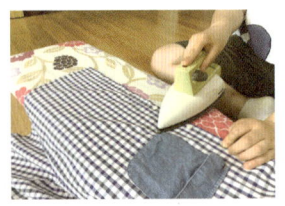

3. 셔츠의 앞면을 다립니다. 단추 사이도 잘 다려줍니다.

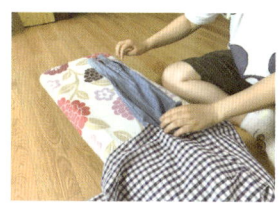
4. 팔 부분을 잘 펴줍니다.

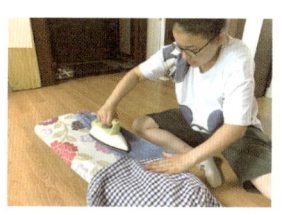
5. 옷이 밀리지 않도록 조심하면서 다립니다.

6. 뒷면도 같은 방법으로 다립니다.

7. 옷걸이에 잘 걸어둡니다.

세탁소에 맡겨요

겨울 코트나 정장 등은 세탁소에 맡겨 세탁합니다.
옷 종류마다 내는 돈이 다릅니다.
세탁비는 옷을 맡길 때 내는 곳도 있고,
옷을 찾아올 때 내는 곳도 있습니다.

1. 옷 주머니에 돈이나 물건이 들어 있는지 확인하고, 있다면 꺼내놓습니다.

2. 세탁소에 가서 옷을 맡깁니다.

3. 언제 찾으러 오면 되는지 물어봅니다.

4. 옷을 찾아온 다음에는 비닐을 벗깁니다.

5. 베란다나 바람이 들어오는 곳에 걸어두고 냄새를 뺍니다.

6. 냄새가 빠지면 옷장이나 행거에 겁니다.

이불을 빨아요

이불은 바람이 통하고 햇빛 드는 곳에 널기!

자는 동안 땀과 먼지들이 이불과 베개에 묻습니다.
자고 일어나면 이불과 베개를 털어줘야 합니다.
자주 빨기 어려우므로 가끔 햇빛 드는 곳에 널어줍니다.
이불은 1달에 1번 정도 빨아줍니다.
솜과 이불 커버가 분리되면, 커버만 빱니다.
솜은 빨지 않고 햇빛 드는 곳에 펴둡니다.
베개 커버는 1주일에 1번 정도 빨아줍니다.

운동화를 빨아요

1. 운동화에서 끈을 뺍니다.

2. 미지근한 물에 세탁세제를 넣고 잘 풀어줍니다.

3. 운동화와 끈을 물에 담그고 30분 정도 기다립니다.

4. 솔이나 낡은 칫솔로 운동화를 구석구석 문지릅니다.

5. 끈은 손으로 비벼 빱니다.

6. 신발과 끈을 여러 번 헹굽니다.

7. 세탁망에 넣어 세탁기로 탈수합니다.

8. 그늘진 곳에서 말립니다.

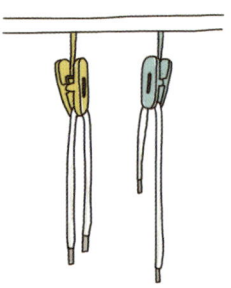

옷에 묻은 얼룩을 지워요

흰옷을 입거나 옷을 빨아서 처음 입은 날은
꼭 옷에 뭐가 묻곤 하지요.
얼룩제거제가 있으면 손쉽게 지울 수 있겠지만
만약 얼룩제거제가 없다면 아래 방법을 써봐요.

김치 국물

주방세제를 조금 묻혀서 살살 비벼준 후 세탁합니다.
또는 양파즙으로 얼룩을 문지른 뒤 하루 지나 세탁합니다.

볼펜

볼펜이 묻은 부분을 물파스로 꾸욱 눌러줍니다.
키친타월이나 천으로 닦아내고 세탁합니다.

커피

주방세제와 식초를 같은 양으로 섞어
커피가 묻은 부분에 바릅니다.
키친타월이나 천으로 가볍게 닦아낸 후 세탁합니다.

"우리는 이렇게 해요"
4인 인터뷰

김성원
(1인 거주)

빨래는 언제 하나 하루 2번. 출근 전에 한다.

흰옷과 색깔 옷을 따로 빠나 그렇다.

어떤 세제를 쓰나 액체세제와 섬유유연제를 쓴다.

세탁소에 맡기거나 손빨래 하는 옷은? 바지만 세탁소에 맡긴다. 손빨래는 안 한다. 니트류는 페브리즈 같은 걸 뿌려서 입고, 늘어나면 버린다.

다림질은 어떻게 하나 하지 않는다.

이불 빨래는? 2달에 1번 빤다. 베개 커버는 1주일에 1번.

운동화는 어떻게 빠나 평소 신발 전용 스프레이를 써서 냄새를 잡는다. 더러워지면 걸레로 겉만 닦는다.

남수진
(장애인자립생활주택 거주)

빨래는 언제 하나 하루 1번. 요양원에서 일하는데 옷이 쉽게 더러워진다. 그래서 매일 갈아입는다.

흰옷과 색깔 옷을 따로 빠나 그렇진 않다.

어떤 세제를 쓰나 가루세제도 쓰고, 액체세제도 쓴다.

세탁소에 맡기거나 손빨래 하는 옷은? 둘 다 없다.

다림질은? 다림질 잘한다. 셔츠를 좋아해서 자주 다린다. 중요한 날 입는다.

오! 다림질 잘하기가 쉽지 않은데! 별로 어렵지 않다. 쓱쓱 다리면 끝난다.

이불 빨래는 언제 어떻게 하나 1달에 1번 세탁기로 빤다.

운동화는 어떻게 빠나 먼저 운동화를 물에 불린 다음에 솔로 문지른다. 끈은 따로 빼서 비벼 빤다. 운동화와 끈을 깨끗한 물이 나올 때까지 헹군 다음에 탈수만 세탁기로 한다.

문석영
(장애인자립생활주택 거주)

빨래는 언제 하나 사람마다 세탁기를 사용할 수 있는 날이 정해져 있다. 나는 화·금·일요일에 쓸 수 있다. 하지만 모아서 일주일에 1번만 빤다. 물과 전기를 절약할 수 있으니까.

흰옷과 색깔 옷을 따로 빠나 그렇다. 바구니가 2개 있다. 흰 바구니에는 흰 빨래, 파란 바구니에는 나머지 빨래를 넣었다가 따로 빤다.

어떤 세제를 쓰나 흰옷에는 베이킹소다를 쓰고, 색깔 옷은 액체세제나 가루세제를 쓴다.

세탁소도 이용하나 주로 점퍼를 맡긴다.

손빨래나 다림질은? 둘 다 하지 않는다.

이불 빨래는? 1달에 1번. 평소에 햇빛에 자주 널어놓는다. 큰 이불은 빨래방에서 빨기도 한다. 베개 커버는 1주일에 1번 빤다.

운동화는 어떻게 빠나 빨랫비누와 솔을 이용해 닦고, 끈을 빼서 바락바락 문지른다.

 허은숙
(남자친구와 거주)

빨래는 언제 하나 정해놓진 않았다. 대략 1주일에 1번 정도?

흰옷과 색깔 옷을 따로 빠나 그렇진 않다.

빨래할 때 특히 신경 쓰는 게 있다면? 수건만 따로 모아서 빨기

어떤 세제를 쓰나 가루세제

세탁소는 이용하나 세탁소에 맡겨야 하거나 다림질할 옷은 사지 않는다.

손빨래는? 행주만 손으로 빤다. 나머지는 세탁기로.

이불 빨래는? 정해놓진 않았고, 냄새 날 때 빤다.

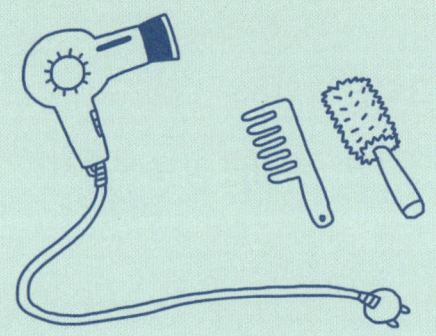

3장 씻기

몸을 깨끗하게 하는 건 아주 중요합니다.
몸이 깨끗하지 않으면 병에 걸리기 쉽거든요.
도와주는 사람이 늘 곁에 있는 게 아니므로
자기 건강은 자기가 지키도록 합니다.

손을 자주 씻어요

손은 참 많은 일을 합니다. 그래서 쉽게 더러워지죠.
더러운 손으로 음식을 먹거나 입을 만지면
병균이 몸속으로 들어옵니다.
아프지 않으려면 손을 깨끗하게 해야 해요.

이럴 때는 꼭 손을 씻습니다.

- 화장실 다녀올 때

- 음식을 만들거나 먹기 전에

- 기침이나 재채기를 하고 나서

- 밖에 나갔다 와서

- 손에 뭐가 묻었을 때

- 먼지 많은 물건 등을 만지고 나서

- 애완동물을 만지고 나서

- 청소한 다음에

손을 씻을 때는
꼭 비누로!

손은 자주 씻는 것도 중요하지만 바르게 씻는 것이 아주 중요합니다.

바르게 손 씻기

1

두 손바닥을 마주 대고 문지릅니다.

2

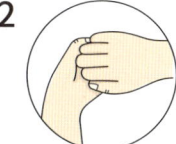

손가락을 마주 잡고 문지릅니다.

3

손등과 손바닥을 마주 대고 문지릅니다.

4

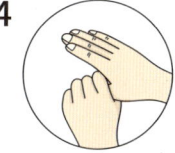

엄지손가락을 반대편 손바닥으로 잡고 돌려주면서 문지릅니다.

5

손깍지를 끼고 손가락끼리 문지릅니다.

6

손가락을 반대편 손바닥에 문질러 손톱 밑을 깨끗하게 합니다.

이를 잘 닦아요

밥을 먹은 다음에는 꼭 이를 닦습니다.
자기 전과 아침에 자고 일어났을 때도 닦으면 좋습니다.

이를 닦을 때는 혀도 같이 닦아줍니다.
혀를 깨끗이 닦지 않으면 입에서 냄새가 납니다.
혀는 안쪽에서 바깥쪽으로 살살 닦습니다.

칫솔이 벌어지거나 끝이 닳았을 때는 새 칫솔로 바꿉니다.

이를 닦을 때 치실이나 치간 칫솔을 사용하면 좋아요.

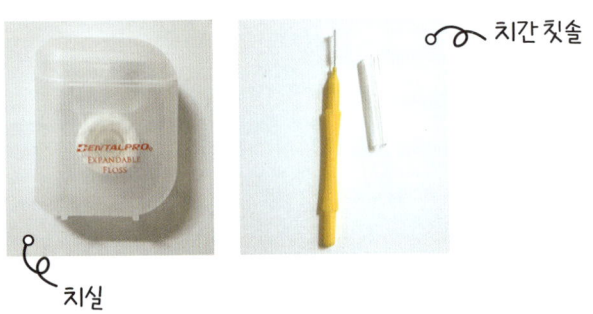

샤워를 해요

하루 종일 우리 몸에 쌓인 땀과 먼지.
그냥 놔두면 피부가 안 좋아집니다.
여러 가지 안 좋은 병을 일으키기도 합니다.

하루에 1번 우리 몸을 깨끗이 닦아줍시다.

1. 먼저 미지근한 물로 몸을 씻습니다.

2. 바디워시나 비누를 목욕타월에 묻혀 거품을 냅니다.

3. 목욕타월로 몸을 구석구석 문지릅니다.
   이때 손에 너무 힘을 주지 않습니다.
   발도 빼먹지 않고 잘 닦아줍니다.

4. 깨끗한 물로 여러 번 헹굽니다.

5. 수건으로 물기를 닦고,
   몸이 건조하지 않도록 바디로션을 발라줍니다.

머리를 감아요

머리를 감지 않으면 냄새가 나고 가렵습니다.
머리는 1~2일에 1번 감습니다.
땀이 많이 나거나 먼지가 많은 때는 매일 감습니다.

1. 머리를 물로 충분히 헹궈서 먼지를 떨어냅니다.

2. 샴푸를 손에 덜어 거품을 냅니다.

3. 거품을 두피와 머리카락에 묻힙니다.

4. 손톱이 아닌 손끝으로 두피를 문지릅니다.

5. 머리카락을 비비지 말고 가볍게
   조물조물 주무릅니다.

6. 여러 번 헹굽니다. 깨끗하게 헹구지 않으면 냄새가 나거나 가렵습니다.

7. 린스나 트리트먼트를 바르고 잠시 기다렸다가 깨끗하게 헹굽니다.

8. 수건으로 물기를 잘 닦고, 드라이어나 선풍기로 말립니다. 말릴 때는 두피부터 말려줍니다.

"우리는 이렇게 해요"
4인 인터뷰

김성원
(1인 거주)

손을 잘 씻는지 그렇다. 하루에 10번 정도 씻는 듯. 화장실 다녀와서는 꼭 씻는다.

평소 어떻게 씻는지 이 닦기 - 머리 감기 - 세수하기 - 샤워하기. 샤워는 매일 15분 정도 한다. 이는 하루에 3번, 밥 먹고 나서 닦는다.

남수진
(장애인자립생활주택 거주)

손을 잘 씻는지 손엔 세균이 많으니까. 나는 손에 땀이 많아서 자주 씻는다.

평소 어떻게 씻는지 수영을 매일 다니기 때문에 매일 수영장에서 씻고 온다.

문석영
(장애인자립생활주택 거주)

손을 잘 씻는지 그렇다. 밥 먹기 전과 화장실 다녀와서는 꼭 씻는다. 우리는 손을 자주 사용한다. 손으로 일도 하고 물건도 만지고 하기 때문에 자주 씻어야 한다.

평소 어떻게 씻는지 여름엔 샤워를 자주 한다. 겨울에는 저녁에 샤워하고 아침엔 세수만 한다. 이도 잘 닦는다. 가끔 가그린을 사용한다.

허은숙
(남자친구와 거주)

손을 잘 씻는지 자주 씻는다고는 할 수 없지만, 씻을 때는 꼭 비누를 사용한다.

머리가 긴데, 어떻게 감고 말리나 머리카락을 물에 적시고, 샴푸로 머리를 감는다. 그다음 헹군다. 린스는 쓸 때도 있고, 안 쓸 때도 있다. 머리가 길어서 잘 엉키기 때문에 머리빗으로 빗어가며 감는다. 머리를 다 감았으면 수건으로 싸맨 다음 샤워를 한다. 머리는 선풍기로 말린다. 드라이어로 말리면 너무 덥다.

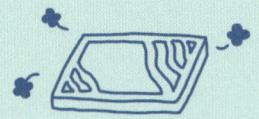

4장 정리하기

정리할 때 제일 중요한 것은
'끼리끼리' 모아 두는 것입니다.
이것, 저것 섞어놓으면 보기에도 좋지 않고,
필요할 때 찾아 쓰기도 힘들거든요.

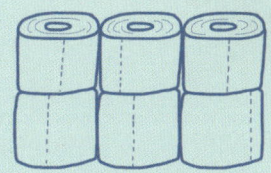

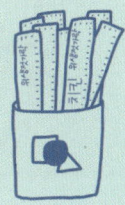

물건이 있어야 할 곳을 정해요

1. 물건마다 자기 자리를 정해주세요.

2. 물건을 쓴 다음에는 자기 자리에 갖다 두세요.

이렇게만 해도 집이 깔끔해요.

물건의 자리를 정해두지 않으면
쓰고 나서 아무 데나 놓게 돼요.

물건마다 자기 자리를 정해놓으면
써야 할 때 바로 찾을 수 있어 좋구요.
집을 정리하느라 많은 시간을 쓰지 않아도 되니 좋지요.

물건은 그 물건을 쓰는 장소에 두어요

화장실에서 쓰는 물건은 화장실에 두어요.
나중에 쓸 칫솔, 치약, 샴푸도 화장실에 둡니다.
화장실에 자리가 없으면 다른 데에 모아 둡니다.

주방에서 쓰는 물건은 주방에 두어요.
배달음식에 달려 오는 일회용 젓가락이나
주방세제, 수세미 등도 함께 모아 두어요.

청소도구도 한곳에 모아 둡니다.

드라이버, 못, 줄자 같은 것도 자주 쓰는 곳에 함께 둡니다.

화장실에서 쓰는
물건은 화장실에!

주방은 이렇게 정리해요

주방은 그릇과 주방도구와 양념들이 넘쳐나는 곳.
조금만 정리를 안 해도 금세 지저분해지죠.
냉장고와 싱크대 주변을 정리해보세요.
집 전체가 달라 보일 거예요.

탈취제

바닥에 키친타월을
깔면 깔끔!

냉장고 정리법

1. 1주일에 1번은 유통기한을 확인해요.
   유통기한이 지났거나 상한 음식은 버려요.

2. 속이 보이는 투명한 반찬통을 사용해요.

3. 탈취제를 넣어 냄새를 없애요.

4. 간장처럼 흐르는 양념 아래에는 키친타월을 깔아요.

 깔끔한 주방 정리법을 알려줄게!

-안 쓰는 그릇이나 통은 맨 위로 올립니다.

-자주 쓰는 양념은 손 닿는 곳 가까이에!

-라면, 햄, 참치캔은 한곳에 모아 두고

-주방장갑, 주방수건, 메모지는 냉장고에 붙여놓습니다. 필요할 때 바로바로 쓸 수 있도록.

-가위, 집게 등을 망에 걸어두면 편리하지요.

-세제와 수세미는 일회용 용기에 담았어요. 세제가 흘러 지저분해질 수 있으니까요.

옷장이나 행거는 이렇게 정리해요

점퍼는 점퍼끼리!

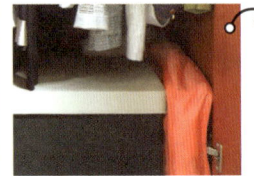
짧은 옷 아래에는 옷박스도 들어가요!

종류별로 옷을 걸어둡니다.
바지는 바지끼리, 점퍼는 점퍼끼리, 긴 옷은 긴 옷끼리.

짧은 옷끼리 모아 걸면 아래 공간을 쓸 수 있습니다.

습기 제거제를 넣어둡니다.
사용 기간이 지나면 바꿔줍니다.

가끔은 옷장 문을 열어 환기를 시킵니다.

옷 걸 공간이 부족해서 우리 집은 창틀에 걸어 쓰는 행거를 이용해요.

서랍장은 이렇게 정리해요

옷마다 칸을 정해두면 보기도 좋고 옷을 찾기도 쉽습니다.

속옷은 속옷 칸에, 양말은 양말 칸에,
바지는 바지 칸에 넣어요.

니트는 돌돌 말아서 보관합니다.

서랍에 습기 제거제나 방충제를 넣어주세요.

옷마다 칸을 정해두면 편해요!

계절 옷은 이렇게 정리해요

신문지

계절이 바뀌면 입던 옷을 보관해야 하지요.

먼저 옷을 깨끗이 세탁합니다.
옷이 완전히 마를 때까지 기다립니다.
덜 마른 옷을 보관하면 곰팡이가 생길 수 있어요.

옷을 상자나 서랍에 보관한다면 옷 아래 신문지를 깔아요.
벌레와 습기로부터 옷을 보호할 수 있어요.
습기 제거제를 넣어도 좋습니다.

세탁소에 맡겼다가 찾아온 옷이 있다면
비닐을 벗기고 바람 부는 곳에 걸어둡니다.
냄새가 빠진 다음에 보관합니다.

안 입는 옷은 이렇게 정리해요

정리의 기본은 버리는 것!

낡은 옷, 늘어난 옷, 지저분한 옷은
일반쓰레기 봉투에 버립니다.

입던 속옷도 일반쓰레기 봉투에 버려요.

잘 안 입는 옷도 정리합니다.
2년 동안 1번도 안 입었다면 버리는 게 좋습니다.
앞으로도 안 입게 될 거예요, 아마.

안 입는 옷 중 깨끗한 옷은 헌옷수거함에 넣거나
다른 곳에 줄 수 있습니다.

아름다운 가게 ☎1577-1113
굿윌스토어 ☎1670-9125

> 얼룩지거나 찢어진 옷은 의류수거함에 버려요.
> 작아진 옷, 싫증난 옷은 '굿윌스토어'에 갖다줘요.
> 아는 동생한테 주기도 해요.

"우리는 이렇게 해요"
4인 인터뷰

김성원
(1인 거주)

<mark>물건마다 두는 곳이 정해져 있는지</mark> 정해져 있다. 화장품을 작은 서랍장 위에 둔다. 아래 서랍에는 염색약 같은 걸 넣어놨다. 청소기는 수납장에, 여분의 치약과 샴푸는 화장실에 둔다.

<mark>옷은 어디에 넣어두는지</mark> 수납장과 선반을 이용한다. 선반에는 지금 계절에 입는 옷을, 수납장에는 지금 계절에 입지 않는 옷을 수납한다.

남수진
(장애인자립생활주택 거주)

<mark>옷을 어디에 넣어두는지</mark> 얼마 전에 산 옷장과 서랍장에 넣는다. 바지 칸, 양말 칸, 티셔츠 칸이 각각 따로 있다.

<mark>안 입는 옷은 어떻게 하나</mark> 헌옷수거함에 버리기도 하고, 크기가 작아진 옷은 같이 사는 동생한테 준다.

문석영
(장애인자립생활주택 거주)

옷을 어디에 넣어두는지 옷장이 2개 있다. 1개는 주로 겨울옷을 보관한다. 다른 1개는 정장, 봄가을 점퍼, 셔츠들을 넣는다. 속옷은 선반에, 흰옷과 양말은 서랍장에 넣는다.

옷장 관리는? 습기가 차지 않게 물 먹는 하마 같은 걸 넣어놓는다. 냄새 먹는 하마도 넣는다.

못 같은 건 어디다 두나 거실장 서랍에 공구를 한꺼번에 넣어놓았다.

허은숙
(남자친구와 거주)

옷을 어디에 넣어두는지 서랍장을 사용한다. 하의 따로, 상의 따로. 장롱에는 겨울옷을 넣어둔다.

옷을 잘 버리는 편인지 옷은 잘 사지도 않고 잘 버리지도 않는다. 구멍 나면 꿰매 입는다.

잘 안 쓰는 물건은 어떻게? 구석에 모아 둔다.

정리를 잘한다고 들었는데 어떤 원칙 같은 게 있을까? 자주 쓰는 걸 눈에 보이는 데 두자!

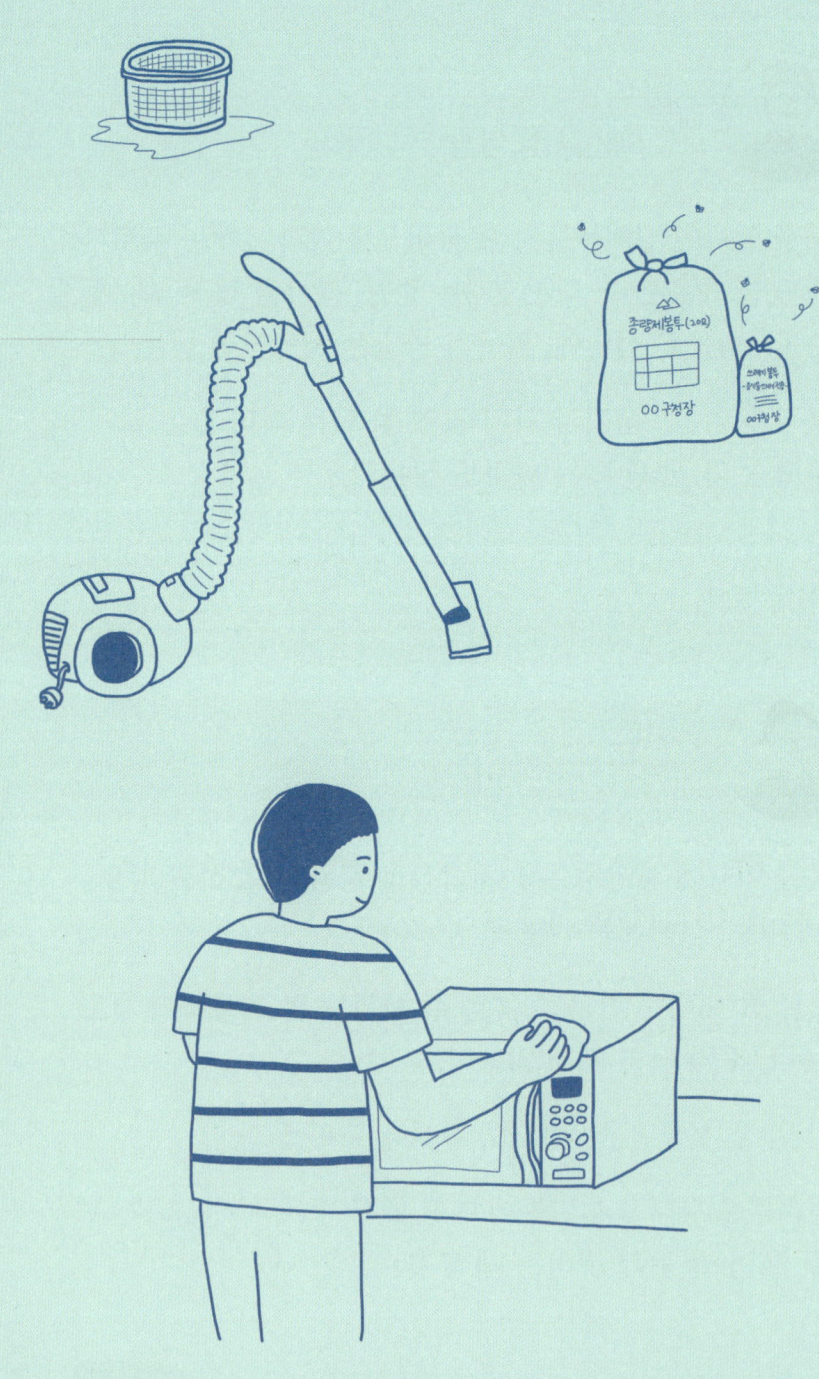

5장 청소하기

모든 청소의 기본은 위에서 아래로!
그리고 매일 조금씩!
한 번에 다 하려면 힘들고 귀찮으니까
평소에 조금씩 치우기로 해요.

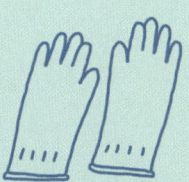

방을 청소해요

1. 먼저 창문을 활짝 열어요.

2. 바닥에 널려 있는 물건들을 치워요.

3. 마른걸레 등으로 가구와 전자제품의 먼지를 닦아요.

4. 청소기를 돌려요.

5. 스팀청소기나 물걸레로 바닥을 닦아요.

6. 사용한 걸레는 바로 빨아요.
   나중에 빨아야지, 하고 그냥 놔두면 안 좋은 냄새가 나요.

걸레를 쓸 때는 물을 적신 다음 꽉 짜지 않는 게 좋아요. 금세 물이 마르거든요.

화장실을 청소해요

화장실은 물때와 곰팡이가 생기기 쉽습니다.
1주일에 1번은 화장실 청소를 합니다.

1. 먼저 창문을 엽니다.

2. 고무장갑을 낍니다.

3. 벽과 바닥에 물을 뿌립니다.

> 우리 집은 화장실에 창문이 없어서 청소가 끝나면 환풍기를 틀고 문을 열어둬요.

4. 세탁세제를 물에 풀어 거품을 냅니다. (너무 많이 풀면 여러 번 헹궈야 하니까 거품 양을 보면서 조금씩 풀어요.)

5. 솔이나 수세미에 거품을 묻혀 벽과 바닥을 닦습니다.

6. 남은 세제로 세면대와 변기를 닦습니다.

7. 물로 벽과 변기, 세면대, 바닥을 깨끗이 헹굽니다.

바닥의 물기를 제거하면 더 좋아요.
화장실 슬리퍼도 때가 끼기 쉬우니
자주 씻어줍니다.

도구로 물기 제거 중

주방을 청소해요

싱크대 청소법

1. 주방에서는 수세미가 2개 필요합니다.
   설거지할 때 쓰는 수세미와 청소할 때 쓰는 수세미.
   싱크대를 닦을 때는 청소용 수세미를 사용합니다.

2. 청소용 수세미에 주방세제를 묻혀 거품을 냅니다.

3. 수세미로 싱크대를 구석구석 닦습니다.

4. 배수구망도 꺼내서 깨끗이 닦습니다.

5. 물로 깨끗이 헹굽니다.

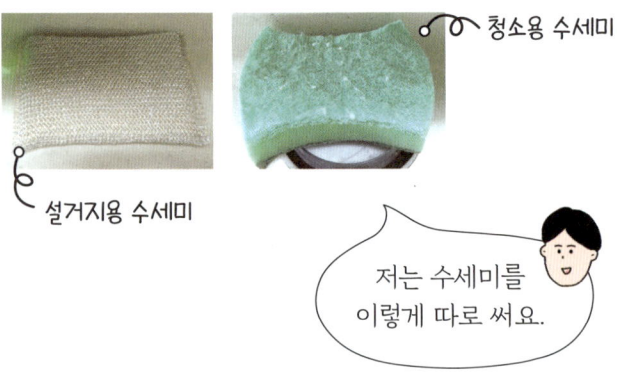

저는 수세미를 이렇게 따로 써요.

전자레인지 청소법

1. 행주를 물에 적셔 문 안쪽을 닦습니다.

2. 레인지 안쪽을 구석구석 닦습니다.

3. 전자레인지의 겉과 뒤쪽도 잘 닦아줍니다.

때가 잘 지워지지 않으면 그릇에 물을 넣고
베이킹소다를 풀어 전자레인지에 5분 정도 돌려줍니다.
그릇을 꺼낸 후 행주로 전자레인지 안쪽을 닦아줍니다.
때가 불어 잘 닦입니다.

냉장고를 청소해요

냉장고는 음식을 보관하는 곳이기 때문에
특히 깨끗하게 관리해야 합니다.

평소에는 젖은 행주로 닦아줍니다.
가끔 대청소를 해줍니다.

냉장고 대청소 하는 법

1. 냉장고 안의 물건들을 모두 꺼냅니다.

2. 선반과 서랍을 다 꺼냅니다.

3. 베이킹소다를 푼 물에 수세미를 적십니다.

4. 수세미로 선반과 서랍을 닦고 헹군 다음,
   물기가 잘 빠지도록 엎어놓습니다.

5. 베이킹소다를 푼 물에 행주를 담갔다가 꼭 짭니다.

6. 행주로 냉장고 안과 문짝을 닦습니다.

7. 씻어서 말린 선반과 서랍을 다시 끼웁니다.

8. 냉장고에서 꺼냈던 물건들을 다시 냉장고에 넣습니다.

베란다를 청소해요

베란다는 빨래를 널고 물건을 놔둘 수 있는
고마운 곳이지요.
하지만 먼지 쌓이기 좋은 곳이기도 합니다.
귀찮다고 빼먹지 말고 가끔 청소해주기로 해요.

1. 먼저 창문을 엽니다.

2. 청소기로 바닥을 밀어줍니다.

3. 걸레로 바닥을 구석구석 닦아줍니다.

4. 창문용 걸레로 창문도 닦아줍니다.

쓰레기를 버려요

쓰레기를 오래 놔두면 냄새가 납니다.
벌레가 생길 수도 있구요.
작은 쓰레기 봉투를 쓰고, 자주 버리는 게 좋습니다.

특히 여름철에는 작은 봉투를 씁니다.

자주 쓰는 쓰레기봉투는 2가지입니다.
음식물쓰레기 봉투와 일반쓰레기 봉투.

음식물쓰레기와 재활용쓰레기를 뺀 나머지 것들은
일반쓰레기 봉투에 담아 버립니다.

동네마다 쓰레기 버리는 날이 다릅니다.
내가 사는 동네는 무슨 요일에 버리는지 알아둡니다.

"우리는 이렇게 해요"
4인 인터뷰

김성원
(1인 거주)

방 청소는 언제 하나 매일 한다. 15분 정도.

뭘로 하나 평소엔 청소기를 돌린다. 미세먼지 많은 날은 청소기를 안 돌린다. 걸레로만 닦는다.

청소할 때 신경 쓰는 것은? 가구나 가전제품의 먼지를 먼저 턴다.

화장실도 매일 청소하나 1주일에 1번. 주말에 한다.

뭘로 청소하나 곰팡이 제거제를 주로 사용한다.

냉장고 청소는? 세제는 쓰지 않고, 물로 적신 행주로만 닦는다.

청소하기 제일 싫은 데는? 어디가 더 좋고, 더 나쁘고 그렇진 않다. 화장실이 냄새가 나니까 그냥 좀 그런 정도.

쓰레기 버릴 때 신경 쓰는 것은? 음료를 마시고 나서 통을 물로 여러 번 헹군다. 물기가 빠지도록 엎어놨다가 버린다.

남수진
(장애인자립생활주택 거주)

방 청소는 언제 하나 매일 수영장 가기 전에 한다.

뭘로 하나 청소기로 밀고, 스팀청소기로 닦는다. 스팀청소기를 쓰기 전엔 봉걸레를 썼다.

청소할 때 신경 쓰는 것은? 걸레 쓰고 바로 빨아 널기. 빨랫비누로 빨아서 넌다.

화장실 청소도 매일 하나 1주일에 1번 한다.

3명이 같이 사는데 누가 하나? 돌아가면서 하나 변기와 세면대는 같이 사는 언니가 닦고, 벽과 바닥은 내가 닦는다. 솔보다 수세미가 더 잘 닦인다.

뭘로 청소하나 세탁세제로 한다.

청소할 때 신경 쓰는 것은? 함께 사는 동생이 몸이 좀 불편하다. 화장실 바닥에 물기가 있으면 미끄러져 다칠 수 있다. 그래서 청소를 다 하고 나면 바닥 물기를 쫙 없앤다. 물기 없앨 때 사용하는 도구가 있다(75쪽 사진 참고).

 **문석영**
(장애인자립생활주택 거주)

방 청소는 언제 하나 방이 지저분할 때나 시간이 많을 때. 보통 1주일에 1~2번.

뭘로 청소하나 청소기를 돌린다. 그다음에 손걸레로 닦는다. 힘들면 봉걸레를 사용한다.

청소할 때 신경 쓰는 것은? 청소기를 돌리기 전에 창문을 연다. 바닥에 널려 있는 것도 치운다. 걸레는 바닥 닦는 것과 먼지 닦는 것을 따로 쓴다.

화장실은? 1주일에 2~3번 청소한다.

뭘로 청소하나 락스는 냄새가 고약해서 쓰지 않는다. 냄새가 덜 독한 욕실 청소용 세제를 쓴다.

3명이서 같이 사는데 혼자 하나 사람마다 청소하는 곳을 정했다. 나는 화장실과 베란다를 맡았다.

베란다는 언제 청소하나 1주일에 1~2번 한다.

쓰레기 버릴 때 신경 쓰는 것은? 플라스틱, 참치캔, 스팸캔이 많이 나온다. 그냥 버리면 벌레가 생기기 때문에 헹궈서 버린다.

 허은숙
(남자친구와 거주)

방 청소는 언제 하나 주로 주말에.

뭘로 하나 청소기와 물걸레로.

청소 순서를 말해준다면? 이불 털고, 청소기 밀고, 물걸레질 하고, 물티슈로 가전제품을 닦는다.

화장실 청소는? 하기 싫어서 잘 안 한다(웃음).

그 마음 잘 안다. 그런데 냄새가 좀 날 텐데? 그래서 방향제를 놔두었다. 거실이나 방에서 나는 냄새는 초를 켜서 없앤다.

재활용쓰레기는? 문 앞에 재활용 통이 3개 있다. 재활용품을 종류별로 넣어 놓았다가, 통이 다 차면 갖다 버린다.

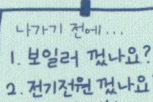

6장 안전하게 살기

아플 때나 도움이 필요할 때
누구한테 연락할지 미리 생각해둬요.
비상약과 매일 먹어야 하는 약을 잘 갖추고,
소화기는 눈에 잘 보이는 곳에 둡니다.

꼭 필요한 약은 사놔요

살다 보면 갑자기 아플 때가 있습니다.
소화가 안 되거나 머리가 아프거나
열이 나기도 하고
손을 베이기도 하지요.
이럴 때를 위해서 몇 가지 약은
꼭 가지고 있어야 합니다.

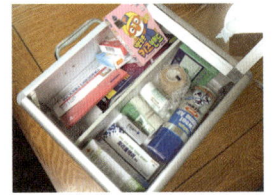

약은 한곳에 모아 둡니다.
유통기한이 지난 약은 먹지 말고, 약국에 가져다줍니다.

약 먹을 때 기억해요!

- 유통기한을 확인합니다.

- 알약은 물과 함께 먹습니다. 다른 음료와 먹지 않습니다.

- 알약은 쪼개서 먹지 않습니다.

- 먹는 법을 확인하고 먹습니다.

급할 때 쓸 물건들을 잘 갖춰요

소화기

지금 살고 있는 집이나 건물에
소화기가 있는지 확인합니다.
없다면, 인터넷을 통해 살 수 있습니다.

건전지

도어록, 리모컨, 시계처럼 건전지를 넣어야 움직이는
물건이 있습니다.
건전지가 닳으면 새것으로 바꿔야 합니다.
필요할 때 쓸 수 있도록 몇 개 갖고 있으면 좋습니다.

비상금

카드를 잃어버리거나 카드가 망가질 수도 있습니다.
현금을 조금 찾아놓으면 좋습니다.
현금 두는 곳을 정해놓으면 필요할 때 바로 쓸 수 있습니다.
현금은 나만 아는 곳에 둡니다.

집을 나가기 전에 한번 살펴봐요

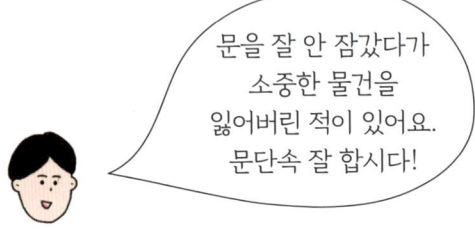

전기 콘센트를 뽑거나 전원 스위치를 끕니다.

가스레인지의 중간 밸브가 잠겼는지 확인합니다.

창문을 잠갔는지 확인합니다.
집을 오래 비울 때는 작은 창문까지 잘 잠급니다.

집이 빈다는 걸 페이스북 등에 알리지 않습니다.

택배 상자는 종이를 떼고 버려요

택배 기사님의 발소리는 언제나 우리를 설레게 하지요.
하지만 마음 놓으면 안 돼요. 택배 상자를 버릴 때까지는.

택배 상자에 붙어 있는 종이에는
내 주소, 이름, 전화번호 같은 것들이 적혀 있지요.

나를 모르는 사람이 내 정보를 아는 건 좋지 않습니다.

택배 상자를 버릴 때는 이 종이를 꼭 떼기로 해요.

문을 열어주기 전에 누구인지 확인해요

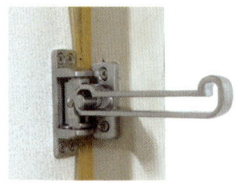

누군가 벨을 누르거나 밖에서 내 이름을 불러도 바로 문을 열지 않습니다.

안전고리가 걸려 있는 상태에서 문을 엽니다. 누구인지 확인한 다음에 완전히 문을 엽니다.

택배를 직접 받는 게 불안하면 "문 앞에 두고 가세요" 하고 말합니다.

여성안심택배함을 이용해도 좋아요.

여성안심택배함 〈무료〉

택배 기사님이 택배함에 물건을 넣고 가면 내가 택배함에서 물건을 찾아올 수 있습니다. 내가 살고 있는 지역에 택배함이 있는지 알아보세요.

도움 청하는 방법을 알아둬요

밤 늦게 집에 들어가는 여성들을 집에 데려다주는 서비스가 있습니다.
이용시간과 방법은 지역마다 다릅니다.
내가 살고 있는 지역에서는 어떻게 하고 있는지,
어디로 연락해야 하는지 미리 알아둡니다.

'여성안전지킴이집' 표시가 붙어 있는
편의점을 미리 알아둡니다.
위급할 때 이곳으로 피하면
도움 받을 수 있습니다.

앱을 활용할 수 있습니다.
'안심이'나 '112 앱'을 깔고, 사용법을 배워둡니다.

112긴급신고 앱 활용법

 112 앱은 납치나 성범죄의 위험이 있을 때 사용해요. (단순한 신고는 ☎110 또는 ☎182)

[사용 준비]

1. 휴대폰에서 '**112긴급신고 앱**'을 다운로드 합니다.

2. 안내 메시지가 뜨면 5개 모두 '**허용**'을 누릅니다.

3. '**이용안내**'가 나오면 '**확인**'을 누릅니다.

4. '**위치정보 사용 동의**'가 나오면,
   맨 밑에 있는 '**전체 동의**'를 누르고, '**확인**'을 누릅니다.

5. '**사용자 정보 입력**'이 나옵니다. 이름, 전화번호, 성별, 나이, 주소, 자주 가는 곳, 보호자 정보를 넣습니다.
   사진을 넣고 '**장애여부**'에 체크합니다. '**저장**'을 누릅니다.

밤 늦게 들어가거나 위험한 느낌이 들면
112 앱을 켠 다음에 휴대폰을 손에 들고 걸어갑니다.
그래야 위험한 상황에서 바로 신고할 수 있습니다.

[사용하기 - 문자로 신고하기]

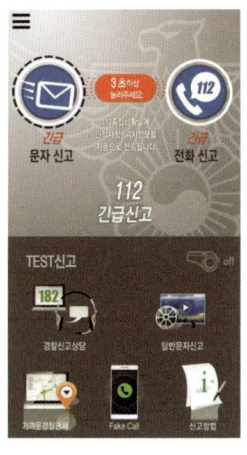

112 앱 켜기

⇩

 '긴급문자신고' 버튼,
3초 이상 길게 누르기

⇩

나의 정보가 112센터로
전해집니다.

[사용하기 - 전화로 신고하기]

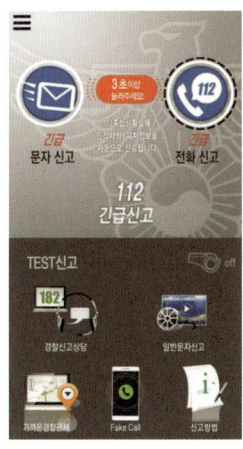

112 앱 켜기

⇩

 '긴급전화신고' 버튼,
3초 이상 길게 누르기

⇩

경찰관과 연결됩니다.

"우리는 이렇게 해요"
4인 인터뷰

김성원
(1인 거주)

안전을 위해 신경 쓰는 것이 있다면? 밖에 나갈 때 전기 코드를 뽑는다. 헤어 드라이어 같은 거.

문제가 생기면 누구에게 연락하나 따로 정하진 않았다. 평소 건강관리를 잘 하려고 노력하고, 아프면 미리미리 병원에 간다.

집에 소화기가 있나 있다.

남수진
(장애인자립생활주택 거주)

안전을 위해 신경 쓰는 것이 있다면? 구급상자를 준비해 놓았다. 그 안에 파스, 붕대, 연고, 두통약 등이 있다. 아프면 바로 병원에 간다. 감기 걸리면 스스로 병원에 간다.

문제가 생기면 누구에게 연락하나 집에 문제가 생겼을 때는 센터 코디 선생님한테 연락한다. 얼마 전에 보일러가 고장 났을 때도 선생님한테 연락했다.

집에 소화기가 있나 있다. 뿌리는 소화기, 던지는 소화기, 둘 다 있다.

문석영
(장애인자립생활주택 거주)

안전을 위한 습관이 있다면? 밖에 나갈 때는 전기 코드를 뽑고 나간다. 태풍이나 비가 올 때는 창문에 신문지나 뽁뽁이를 붙인다. 구급상자도 있다.

문제가 생기면 누구에게 연락하나 작년에 배가 많이 아팠는데 혼자 119를 불러서 병원에 갔다. 새벽이라 다른 사람을 부르지 않았다. 그리고 우리 집은 1년에 1번 소방서에서 나와서 안전하게 사는지 봐주신다.

집에 소화기가 있나 있다.

허은숙
(남자친구와 거주)

안전을 위한 습관이 있다면? 게보린!

약 말고 다른 건? 나갈 때 선풍기 같은 거 끄고 나간다.

집에 소화기가 있나 있다. 주방 옆에도 있고, 문 옆에도 있다.

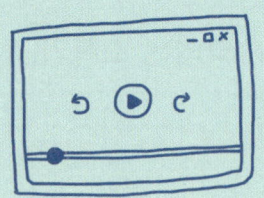

7장 재미있게 지내기

먹고, 치우고, 일하고, 씻고 하다 보면
하루가 금세 가지요.
하루가 이런 일들로만 채워져 있다면
심심하고 답답할 거예요.
재미있게 살 수 있는 나만의 방법을 찾아보세요.
사는 게 한층 더 즐거워집니다.

스트레스를 풀어요

스트레스는 잘 풀어야 합니다.
그렇지 않으면 기분이 계속 안 좋고,
몸이 나빠지기도 합니다.

스트레스 푸는 방법은 여러 가지가 있어요.
나에게 맞는 방법을 찾아보세요.

1. 큰 소리로 노래 부르기
2. 친한 사람에게 얘기하기
3. 실컷 울기
4. 좋아하는 일 하기
5. 맛있는 음식 먹기
6. 땀 흘리며 운동하기
7. 나에게 선물하기
8. 쇼핑하기
9. TV 보기

나만의 방법이 있다면 _____

쇼핑 잘하는 법

쇼핑을 하면 스트레스가 풀린다는 사람이 많지요.
하지만 충동구매는 좋지 않아요.
돈을 똑똑하게 쓰려면 몇 가지를 기억해야 합니다.

1. 평소에 필요한 물건, 사고 싶은 물건을 적어둡니다.

2. 그 물건을 사는 데 얼마를 쓸지 정합니다.

3. 돈이 모이면 삽니다.

운동을 해요

나한테 맞는 운동을 찾습니다.
몸을 부드럽게 풀어주는 운동이 필요한 사람이 있습니다.
땀 흘리는 운동이 필요한 사람도 있습니다.

내가 하고 싶은 운동은 무엇인가요?
내게 필요한 운동은 무엇인가요?

마음에 드는 운동이 없다면 집 근처를 걷거나
자전거를 타는 것도 좋습니다.
예전에 배운 체조를 집에서 하는 것도 좋습니다.
생활 속에서 할 수 있는 운동을 해도 좋습니다.

생활에서 할 수 있는 운동

-가까운 거리는 걸어 다니기

-계단 오르내리기

-스트레칭 하기

기분 좋게 살 방법을 찾아요

기분을 좋게 하기 위한 나만의 방법을 만들어보세요.

거울 보면서 "파이팅!"을 외치거나
"오늘도 수고했어" 하고 자신한테 말 걸어주거나.

취미도 찾아봅니다. 재미있게 할 수 있는 일이 있으면 매일이 조금 더 즐거워집니다.

"우리는 이렇게 해요"
4인 인터뷰

 김성원
(1인 거주)

쉴 때 주로 뭘 하나 운동도 하고, 책이나 TV를 보기도 한다. 음악을 듣기도 하고.

쇼핑은 안 하나 한다. 좋아한다.

쇼핑은 어디서? 가전제품은 하이마트, 화장품은 올리브영 같은 데서 산다.

인터넷 쇼핑은 안 좋아하나 인터넷에서 신발 샀는데 신발 바닥이 벌어져 왔다. 이제는 휴지처럼 생활에 필요한 물건을 살 때만 인터넷을 이용한다.

쇼핑에 제일 성공한 제품은? 헤어 드라이어. 추천하고 싶다. 음이온이라서 좋다.

옷은 자주 사나 1달에 1~2번 정도.

주로 어디서? 천호 아울렛이나 잠실, 건대 쪽에서 산다.

스트레스는 어떻게 푸나 예능 프로그램을 본다.
<아는 형님>을 좋아한다. 실컷 웃으면서, 혼잣말하면서 본다.
그러다 보면 스트레스가 풀린다.

자립해서 살면 좋은 점도 있지만 불편한 점도 있을 것 같다
처음엔 원룸이라 좁고 답답하게 느껴졌다. 공간을 넓게 쓰는
방법을 고민하고, 그에 맞게 가구를 놓아서 살고 있다.
지금은 괜찮다.

기분이 안 좋을 땐 어떻게 하나 그냥... 생각하다가
흘려보낸다.

기분을 좋게 하는 습관이 있다면? <매일 읽는 긍정의 한 줄>
을 매일 읽는다. 읽으면서 마음을 가다듬는다.

남수진
(장애인자립생활주택 거주)

쉴 때 주로 뭘 하나 휴대폰도 하고, <마법전사 미르가온>을
주로 본다. 중요한 일이 있을 땐 일기도 쓴다.

쇼핑은 안 하나 한다. 가까운 데는 혼자 가고, 먼 데는 다른
사람과 같이 간다.

인터넷 쇼핑은 안 좋아하나 결제하는 게 어려워서 인터넷 쇼핑은 하지 못하고 있다.

그럼 주로 어디서 쇼핑하나 근처 대형마트에 가거나 아울렛에서 한다.

쇼핑할 때 나만의 규칙이 있다면? 딱 3개만 산다.

스트레스는 어떻게 푸나 노래방 가서 노래 부르면 확 풀린다.

매일 수영을 한다. 수영하면 뭐가 좋은가 살이 빠진다. 기분이 좋아진다.

외롭다는 느낌이 들 때는 어떻게 하나 찬송가나 가요를 부른다. 마음이 편해진다.

기분을 좋게 하는 습관은? 아침에 나갈 때 "이쁜아, 언니 갔다올게" 하고 인사한다. 이쁜이는 내가 키우는 달팽이다. 그렇게 하면 기분이 좋아진다.

달팽이를 키운다는 게 신기하다. 어떻게 키우게 됐는지 궁금하다 선생님한테 동물 키우고 싶다고 말했더니 달팽이를 가져다줬다. 내가 상추도 주고, 물도 뿌려준다.

문석영
(장애인자립생활주택 거주)

쉴 때 주로 뭘 하나 TV를 보거나 노트북으로 영상을 본다. 주로 디즈니 만화영화를 본다. 게임도 하고.

쇼핑은 안 하나 게임 시디 같은 거 산다.

인터넷 쇼핑은? 쿠팡을 주로 이용한다. 과자나 필요한 물건 살 때. 로켓배송이 맘에 든다.

쇼핑할 때 계획을 세우나 뭘 살지 미리 생각해둔다.

옷은 자주 사나 자주는 아니다. 누나가 사서 보내주기도 해서.

스트레스는 어떻게 푸나 밖에 나가서 산책을 하는 편이다. 바람을 쐬거나 맛있는 음식을 먹으면 기분이 좀 풀린다. 술을 마시기도 한다. 과일향 나는 소주를 좋아한다. 치소(치킨+소주)도 좋아하고, 치킨과 치즈스틱을 함께 먹어도 맛있다.

헬스 하면 뭐가 좋은가 기분이 좋아지고 몸이 가벼워지는 느낌이 든다.

기분을 좋게 하는 습관은? 웃긴 동영상 찾아보기

 허은숙
(남자친구와 거주)

쉴 때 주로 뭘 하나 TV 보기. TV 없으면 안 된다.

쇼핑은 안 하나 거의 안 한다. 돈 있으면 장난감을 자꾸 사려 한다.

인터넷 쇼핑은? 김치 같은 건 홈쇼핑에서 사기도 한다.

옷은? 옷도 거의 안 산다.

스트레스는 어떻게 푸나 과자로! 가끔은 이불 뒤집어쓰고 소리를 지르기도 한다.

지금 하고 있는 운동이 있는지 허리가 안 좋아서 다음 달부터 헬스를 하기로 했다.

외롭다는 느낌이 들 때는 어떻게 하나 TV를 본다. 왜냐면... 사람들은 다들 바쁘니까.

기분을 좋게 하는 습관은? 초콜릿 먹기

"여러분의 자립을 응원해요~"

이 책을 만드는 데 도움 주신 분들

장애인 지원 기관에서 일하는 사람들

소지영　한울림장애인자립생활센터 사회복지사
윤종선　사회복지법인 SRC 사회복지사
이효진　이음장애인자립생활센터 사회복지사
임현숙　성동장애인자립생활센터 사회복지사
장지현　서울시복지재단 장애인복지팀 과장

발달장애를 가진 사람들

김동호　피플퍼스트 서울센터 동료지원가
김선교　네이버핸즈 사원
김은비　사당어린이집 보조교사
송상원　로아트 작가
홍미숙　참사랑어린이집 보조교사

사진 제공

김성원 님

36, 37, 62(왼쪽), 63, 76, 103

남수진 님

25(아래), 34, 38, 39, 40, 41, 62(오른쪽), 67, 74, 75, 88, 101(왼쪽), 103

문석영 님

16, 17, 18, 19, 20, 21, 22, 23, 25(위), 26, 43, 77, 80, 90, 103

허은숙 님

65, 66, 101(오른쪽), 103

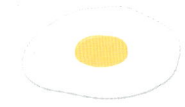

발달장애인 인터뷰북 01
서툴지만 혼자 살아보겠습니다
발달장애인의 자립생활을 돕는 쉬운 살림책

초판 1쇄 발행　2019년 11월 8일
초판 4쇄 발행　2023년 10월 20일

지은이　　소소한소통
펴낸이　　백정연

펴낸곳　　소소한소통
출판등록　2018년 8월 1일 제 2019-000093호
주소　　　서울특별시 영등포구 문래북로 116, 트리플렉스 1504호
전화　　　02-2676-3974
이메일　　soso@sosocomm.com
홈페이지　www.sosocomm.com

ISBN　979-11-965209-6-0　14330

ⓒ 소소한소통, 2019

서툴지만 나도 혼자 살아보겠습니다

하나씩, 차근차근-
자립생활을 위한 나의 첫 살림책

소소한소통 지음

소소한소통

 〈서툴지만 혼자 살아보겠습니다〉를 말합니다.

본책의 주인공처럼
'나'를 소개하는 글을 써보세요.

<u>이 름</u>   <u>나 이</u>

내 얼굴에서 제일 마음에 드는 데는 _____ 이다.

나는 _____ 할 때가 가장 좋다.

나는 _____ 을 잘한다.

내가 제일 좋아하는 사람은 _____ 이다.

내가 제일 좋아하는 물건은 _____ 이다.

살면서 _____ 했을 때가 제일 좋았다.

_____ 와 함께 _____ 을 했을 때가 제일 재미있었다.

나는 돈이 있으면 _____ 을 사고 싶다.

나는 시간이 있을 때 _____ 을 한다.

Q. 나는 하루를 어떻게 보내고 있나요?

아침 _____
_____

낮 _____
_____

저녁 _____
_____

Q. 자립해서 해보고 싶은 3가지

①

②

③

Q. 필요한 서비스가 있다면?

_____

순서

- 먹기 — 6
- 입기/빨래하기 — 12
- 씻기 — 13
- 정리하기 — 14
- 청소하기 — 16
- 안전하게 살기 — 20
- 재미있게 지내기 — 24

먹기

좋아하는 음식 만들기

좋아하는 음식 만드는 방법을 적거나 아래와 같이 붙여보세요.
(이 책 30쪽의 종이를 사용하세요.)

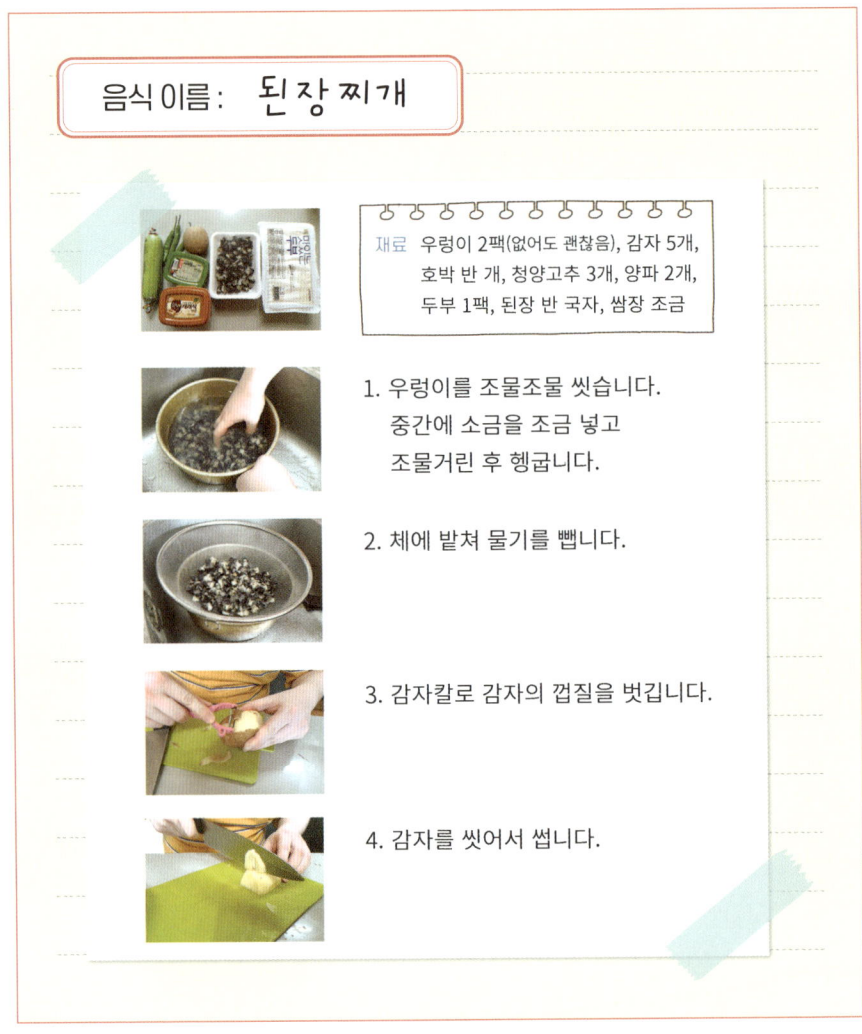

음식 이름: 된장찌개

재료: 우렁이 2팩(없어도 괜찮음), 감자 5개, 호박 반 개, 청양고추 3개, 양파 2개, 두부 1팩, 된장 반 국자, 쌈장 조금

1. 우렁이를 조물조물 씻습니다. 중간에 소금을 조금 넣고 조물거린 후 헹굽니다.

2. 체에 밭쳐 물기를 뺍니다.

3. 감자칼로 감자의 껍질을 벗깁니다.

4. 감자를 씻어서 썹니다.

5. 큰 냄비에 물을 반 정도 넣고 감자를 넣어 끓입니다.

6. 감자가 익는 동안 호박을 씻고, 자릅니다.

7. 청양고추는 꼭지를 떼고 씻은 후 썰어줍니다.

8. 양파는 껍질을 벗기고 씻습니다. 큼직하게 썹니다.

9. 국자로 국물 위에 떠 있는 거품을 떠냅니다.

10. 된장을 반 국자 풀어줍니다.

11. 쌈장은 된장의 반만큼만 풉니다.

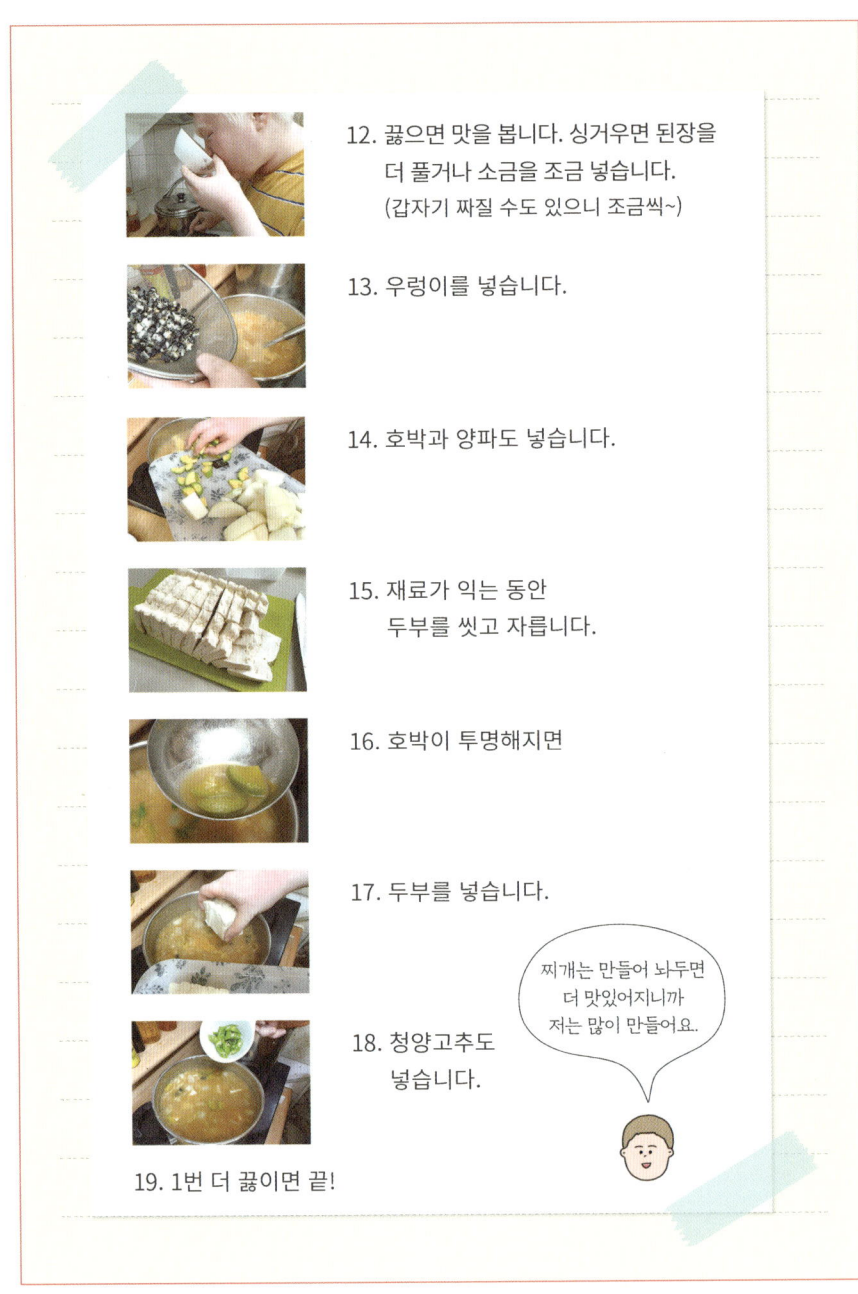

12. 끓으면 맛을 봅니다. 싱거우면 된장을 더 풀거나 소금을 조금 넣습니다.
    (갑자기 짜질 수도 있으니 조금씩~)

13. 우렁이를 넣습니다.

14. 호박과 양파도 넣습니다.

15. 재료가 익는 동안 두부를 씻고 자릅니다.

16. 호박이 투명해지면

17. 두부를 넣습니다.

18. 청양고추도 넣습니다.

19. 1번 더 끓이면 끝!

찌개는 만들어 놔두면 더 맛있어지니까 저는 많이 만들어요.

재료 사기

재료를 사러 가기 전에 집에 뭐가 있는지 살펴봅니다.
집에 없는 재료는 '사야 할 재료'에 써요.
얼마큼 살지도 적어보세요.

이 종이를 들고 가면 알뜰하게 장을 볼 수 있어요.
(이 책 33쪽의 종이를 사용하세요.)

예) 된장찌개

사야 할 재료	몇 개
감 자	5개
호 박	1개
두 부	1개
고 추	1봉지

음식을 하고 나서

음식을 하고 나서 재료가 남지는 않았나요?
남은 재료들을 보관하는 방법이 아래 적혀 있습니다.
맞으면 O, 틀리면 X를 (　) 안에 넣어보세요.

- **두부**

    투명한 통에 두부와 물을 넣고 뚜껑 닫아 보관　　(　)

- **식빵**

    냉동 보관. 먹을 때 전자레인지로 데워 먹기　　(　)

- **참치 통조림**

    먹다 남은 캔 그대로 냉장 보관　　(　)

- **남은 야채**

    검은 비닐에 넣어 냉장 보관　　(　)

(정답은 본책 26쪽에 있습니다.)

음식을 하거나 음식을 먹고 나면 쓰레기가 생기지요.
그런데 이때 나온 쓰레기 중에
음식물쓰레기 봉투에 버리면 안 되는 것들도 있어요.

- **다음 중 음식물쓰레기 봉투에 버려야 할 것은 무엇일까요?**

  ① 복숭아 씨

  ② 생선 뼈

  ③ 달걀 껍데기

  ④ 수박 껍질

(정답은 본책 27쪽에 있습니다.)

입기/빨래하기

빨래는 잘 말리지 않으면 냄새가 나요.
그래서 세탁이 끝나면 바로 널어야 하고요,
비가 많이 오는 날에는 잘 마를 수 있게 해줘야 합니다.

빨래를 빨리 말릴 때 쓰는 방법이 아래 나와 있어요.
맞으면 O, 틀리면 X를 (　) 안에 넣어보세요.

- 건조대 아래에 신문지를 깐다. 　　　　　　(　　)

- 옷을 띄엄띄엄 넌다. 　　　　　　　　　　(　　)

- 빨래 쪽으로 선풍기를 튼다. 　　　　　　　(　　)

- 빨래할 때 섬유유연제를 넣는다. 　　　　　(　　)

(정답은 본책 35쪽에 있습니다.)

씻기

몸을 깨끗하게 하는 게 아주 중요하다는 사실,
이젠 다 알고 계시죠?
손을 자주, 깨끗하게 닦고
땀과 먼지로 뒤덮인 몸을 잘 씻으면
건강하게 사는 데 큰 도움이 돼요.

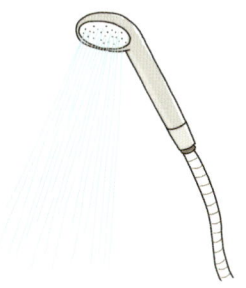

- 다음 중 샤워를 하는 바른 방법은 무엇일까요?

    ① 자주 씻으면 피부가 거칠어지니까
       샤워는 가능하면 하지 않는다.

    ② 목욕타월로 몸을 세게 문질러 닦는다.

    ③ 물을 아껴야 하니까 대충 헹군다.

    ④ 다 씻었으면, 수건으로 물기를 닦고 바디로션을 바른다.

(정답은 본책 55쪽에 있습니다.)

정리하기

정리의 기본 연습하기

정리의 기본은 두 개만 지키면 됩니다!
1. 물건은 항상 제자리에 두기
2. 안 쓰는 물건은 버리거나 필요한 사람에게 주기

어디에 무엇을 보관하고 있나요?

방	
보관할 것	버리거나 줄 것

주방	
보관할 것	버리거나 줄 것

거실	
보관할 것	버리거나 줄 것

화장실	
보관할 것	버리거나 줄 것

우리가 살아갈 때는 건전지, 도장, 현금 등
꼭 가지고 있어야 할 자잘한 물건들이 많습니다.
잘 두었다고 생각했는데
어디다 두었는지 잊어버릴 때가 많아요.
꼭 필요할 때 찾아 쓸 수 있도록
그런 물건들은 아래에 적어두세요.

물건 이름	물건 놓아둔 곳

청소하기

우리 집 청소하는 날

청소한 날짜를 써두면 언제 청소했는지,
다음에 언제 청소해야 하는지 알 수 있어요.

	냉장고 청소 (1주일에 1번)	싱크대 청소 (1주일에 1번)	전자레인지 청소 (싱크대 청소할 때)
청소한 날짜	8.3	8.1	8.1
	8.10	8.8	8.8
	8.17	8.15	8.15
		8.22	8.22

(책 속의 스티커를 사용하세요.)

화장실 청소 (주말에)	베란다 청소 (지저분해지면)	기 타
8.4	8.15	
8.11	8.31	
8.18		

17

쓰레기 버리기

쓰레기는 종류별로 나누어 버립니다.
(적어도 1주일에 1번 버려요.)

● 재활용쓰레기

우리 동네 **재활용쓰레기** 버리는 날

- **음식물쓰레기**

  우리 동네 **음식물쓰레기** 버리는 방법

  ___

  우리 동네 **음식물쓰레기** 버리는 날

  ___

- **일반쓰레기**

  재활용쓰레기, 음식물쓰레기를 뺀 나머지 쓰레기는 우리 동네 종량제 봉투에 담아 버립니다.

  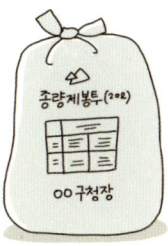

  우리 동네 **일반쓰레기** 버리는 날

  ___

안전하게 살기

구급상자 챙기기

갑자기 아플 수 있으니 필요한 약을 미리 준비합니다.
기본 약이 잘 있는지 가끔 확인합니다.

기본 약	O (있다)	X (없다)
소화제		
감기약		
두통약		
일회용 밴드		
연고		
소독약		

내가 따로 챙겨 먹어야 할 약

_____

_____

- **약을 먹는 올바른 방법이 아닌 것은?**

    ① 유통기한을 확인합니다.

    ② 알약은 물, 콜라, 커피 등과 먹습니다.

    ③ 알약은 쪼개서 먹지 않습니다.

    ④ 먹는 법을 확인하고 먹습니다.

    (정답은 본책 88쪽에 있습니다.)

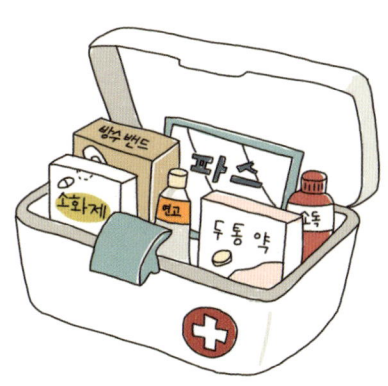

안전을 위한 좋은 습관

내 정보는 소중해요.
개인정보 보호를 잘 하고 있나요?

현관문 비밀번호를 다른 사람에게 알려준 적이 있다.	O	X
택배 상자에 붙은 종이를 떼지 않고 버린다.	O	X
통장 비밀번호를 다른 사람에게 알려준 적이 있다.	O	X
모르는 사람이 전화를 걸어 주민번호를 물었을 때 불러준 적이 있다.	O	X

O에 표시한 게 있다면, 조심해야 합니다.
현관문 비밀번호, 통장 비밀번호, 주민번호는
아무한테나 가르쳐주지 않습니다.
택배 상자에 붙은 종이도 떼고 버립니다.

외출할 때 살피기

(책 속에 있는 스티커를 문에 붙여두고 사용하세요.)

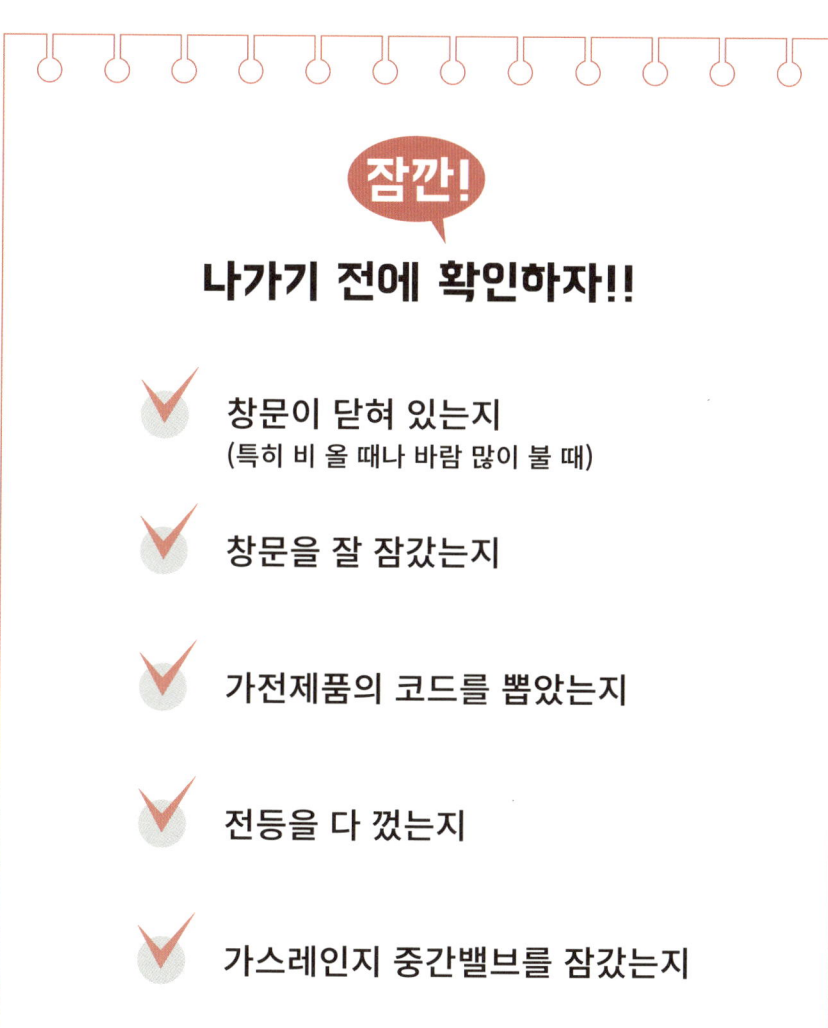

재미있게 지내기

나를 알기

재미있게 살려면 내가 무엇을 좋아하는지,
어떤 일을 할 때 기쁜지 알아야 합니다.
나에 대해 생각해보아요.

- 나는 _____ 을(를) 받았을 때 기분이 좋았다.

- 나는 _____ 을(를) 했을 때 기분이 좋았다.

- 나는 _____ 하는 게 재미있다.

- 나는 _____ 할 때 기분이 나쁘다.

- 나는 _____ 을(를) 하면 스트레스가 풀린다.

- 나는 _____ 을(를) 배워 보고 싶다.

* 1주일에 1번, 내 기분을 좋게 하는 일을 해봐요.

취미가 있으면 하루가 조금 더 즐겁습니다.
내 취미를 적어보아요.

- 나의 취미는 _____

    언제 하는지 _____

    어떻게 하는지 _____

    좋은 점 _____

- 아직 취미가 없다면 내가 배우고 싶은 것을 적어보고,
  어디서 배울 수 있는지 찾아봅니다.

    배우고 싶은 것 _____

    배울 수 있는 곳 _____

운동하기

운동은 몸을 튼튼하게 할 뿐 아니라
기분을 좋게 하고 살아가는 데 좋은 기운을 줍니다.

평소 운동을 하고 있나요?　(O / X)

- (O) 하고 있다면?

    하고 있는 운동 _____

    　운동하는 날　_____

    　운동하는 방법　_____

    　운동하면 좋은 점　_____

- (X) 안 하고 있다면?

    배워 보고 싶은 운동 _____

    _____

무슨 운동을 해야 할지 모르겠다면
〈국민체력100 체력인증센터〉에서 알아봐도 좋습니다.

〈국민체력100 체력인증센터〉에 가면
내 몸 상태가 어떤지 살펴볼 수 있습니다.
내가 하면 좋을 운동을 알려줍니다.
우리 집에서 가까운 센터는 홈페이지에서 찾을 수 있습니다.

인터넷으로 '국민체력 100' 검색

홈페이지 맨 위의 **'체력인증센터'** 누르기

전화로 물어볼 수도 있습니다.
☎ 02-410-1014

갖고 싶은 물건 적어보기

갖고 싶은 것, 사고 싶은 것을 적어보세요.
돈을 모아 갖고 싶은 것을 사게 된다면 정말 기쁠 거예요!

사고 싶은 것

선배들이 해주는 말

1. 건강을 잘 챙겨요.

2. 밤 늦게까지 게임을 하거나 놀지 말고 잠을 충분히 자요.

3. 귀찮더라도 살림에 필요한 일들을
   하나하나 배우고 연습해요.

4. 돈을 막 쓰지 말고 잘 모아요.

5. 돈을 잘 모았다가 필요할 때 잘 써요.

6. 집에만 있지 말고 다른 사람들과 어울려요.

7. 나에 대해 잘 알아봐요.
   뭘 좋아하는지, 뭘 재미있어 하는지.

8. 내가 좋아하고 재미있어 하는 활동을 해요.

음식 이름:

• 재료 :

• 만드는 법

장 보기 전에 적어봐요.

사야 할 재료	몇 개

🍎 장 보기 전에 적어봐요.

사야 할 재료	몇 개

장 보기 전에 적어봐요.

사야 할 재료	몇 개

🍎 장 보기 전에 적어봐요.

사야 할 재료	몇 개

 장 보기 전에 적어봐요.

사야 할 재료	몇 개

🍎 장 보기 전에 적어봐요.

사야 할 재료	몇 개

🍎 장 보기 전에 적어봐요.

사야 할 재료	몇 개

🍎 장 보기 전에 적어봐요.

사야 할 재료	몇 개

🍎 장 보기 전에 적어봐요.

사야 할 재료	몇 개

🍎 장 보기 전에 적어봐요.

사야 할 재료	몇 개

장 보기 전에 적어봐요.

사야 할 재료	몇 개

 장 보기 전에 적어봐요.

사야 할 재료	몇 개

장 보기 전에 적어봐요.

사야 할 재료	몇 개

🍎 장 보기 전에 적어봐요.

사야 할 재료	몇 개

소소한소통

세상의 모든 정보를 '쉽게' 만들어가는 사회적기업.
정보에 소외된 사람들의 알 권리를 위해 다양한 콘텐츠를 만들고 있다.
일상의 소소한 순간까지 소통의 어려움이 없는 삶을 꿈꾼다.

서툴지만 나도 혼자 살아보겠습니다

초판 1쇄 발행   2019년 11월 8일
초판 4쇄 발행   2023년 10월 20일

지은이   소소한소통
펴낸이   백정연
펴낸곳   소소한소통
출판등록   2018년 8월 1일 제 2019-000093호
주소   서울특별시 영등포구 문래북로 116, 트리플렉스 1504호
전화   02-2676-3974
이메일   soso@sosocomm.com
홈페이지   www.sosocomm.com

ISBN 979-11-965209-7-7 14330
ISBN 979-11-965209-5-3 (세트)

ⓒ 소소한소통, 2019

* 이 도서는 서울시혁신형 사업 지원금으로 제작하였습니다.